# NOMS FRANÇAIS STANDARDISÉS DES AMPHIBIENS ET DES REPTILES D'AMÉRIQUE DU NORD AU NORD DU MEXIQUE

STANDARD FRENCH NAMES OF AMPHIBIANS AND REPTILES
OF NORTH AMERICA NORTH OF MEXICO

**COMITÉ SUR LES NOMS FRANÇAIS STANDARDISÉS**

DAVID M. GREEN (PRÉSIDENT DU COMITÉ)

COMITÉ SUR LES NOMS FRANÇAIS STANDARDISÉS

Gabriel Blouin-Demers, Yohann Dubois, Clifford Fontenot, Patrick Galois, David M. Green, Jose Lefebvre, David Lesbarrères, Marc J. Mazerolle, Martin Ouellet, Daniel Pouliot

**2012**

**Society for the Study of Amphibians and Reptiles (SSAR)**

**et le Musée Redpath de l'Université McGill**

Liste officielle des noms reconnue par les organismes suivants;

**American Society of Ichthyologists and Herpetologists**

**Association canadienne des herpétologistes**

**Herpetologists League**

**Partners in Amphibian and Reptile Conservation**

**Réseau canadien de conservation des amphibiens et des reptiles**

**Society for the Study of Amphibians and Reptiles**

SOCIETY FOR THE STUDY OF AMPHIBIANS AND REPTILES

HERPETOLOGICAL CIRCULAR NO. 40

*Published August 2012*



John J. Moriarty, *Editor*
3261 Victoria Street
Shoreview, MN 55126 USA
*frogs@umn.edu*

Single copies of this circular are available from the Publications Secretary, Breck Bartholomew, P.O. Box 58517, Salt Lake City, Utah 84158–0517, USA. Telephone and fax: (801) 562-2660. E-mail: ssar@herplit.com. A list of other Society publications, including Facsimile Reprints in Herpetology, Herpetological Conservation, Contributions to Herpetology, and the Catalogue of American Amphibians and Reptiles, will be sent on request or can be found at the end of this circular.

Membership in the Society for the Study of Amphibians and Reptiles includes voting privledges and subscription to the Society's technical Journal of Herpetology and news-journal Herpetological Review, both are published four times per year. For further information on SSAR membership or subscriptions should be addressed to the SSAR Membership Office, P.O. Box 58517, Salt Lake City, Utah 8415–0517, USA. Telephone and fax: (801) 562-2660. E-mail: ssar@herplit.com.

SSAR website: http://www.ssarherps.org

Cover Illustration: The Wood Frog illustration is from *Codex canadensis*, featuring Louis Nicolas's exquisite illustrated manuscript (ca.1700) about the flora, fauna and peoples of the New World. This is illustration was drawn more than 100 years before the species was described by LeConte in 1825. The Wood Frog is also the one species of amphibian found in all the Canadian provinces.

ISBN 978-0-916984-86-1

# TABLE DES MATIÈRES

## INTRODUCTION

Bien que les espèces sauvages d'Amérique du Nord peuvent être connues par une variété de noms locaux et régionaux, une bonne communication au sujet de ces animaux exige invariablement une liste normalisée des noms communs. Sans une référence commune, la compréhension mutuelle devient difficile, et la rédaction des lois conçues pour protéger ces espèces devient presque impossible. Certains des amphibiens et des reptiles d'Amérique du Nord peuvent être connus sous une variété de noms différents. Par exemple, le même serpent, *Thamnophis sirtalis*, peut être connu par les gens de langue française aussi bien comme «Couleuvre rayée», «Serpent jarretière» ou «Serpent barré». Beaucoup d'autres espèces nord-américaines d'amphibiens et de reptiles n'ont tout simplement pas de nom en français. Pendant ce temps, des techniques plus sophistiquées de génétique moléculaire ont permis des découvertes qui exigent que la taxonomie soient continuellement améliorée et mise à jour, ce qui nécessite des modifications de la nomenclature scientifique et vernaculaire. Il est donc devenu de plus en plus important de développer et de maintenir une liste de noms communs standardisés en français pour les amphibiens et les reptiles de l'Amérique du Nord.

Du côté francophone, la compilation des noms vernaculaires pour l'herpétofaune en Amérique du Nord a commencé avec Alexandre (1937a, b, 1945) et Mélançon (1950), qui furent les premiers à écrire sur les amphibiens et reptiles du Québec en français. Auparavant, les seuls ouvrages disponibles en français au Québec étaient invariablement importés de France (Rollinat, 1934; Angel, 1946) et informaient peu sur les espèces nord-américaines. Plus récemment, les noms français d'espèces présentes en France et en Amérique du Nord (espèces introduites, tortues marines) ont fait l'objet d'une évaluation et d'une mise à jour (Bour et al., 2008; Lescure 2008). Au Canada, une liste des noms français a été suggérée pour tous les amphibiens et les reptiles canadiens et a été finalement publiée par Ouellet et Cook (1981). Cette liste permet aux publications bilingues et françaises, incluant les lois et les rapports du gouvernement, d'employer des noms français standardisés pour les espèces canadiennes à un moment où l'intérêt populaire au sujet de la conservation de ces animaux commençait. Les noms français pour la plupart des espèces nord-américaines ont été publiés dans les livres de Smith (1982) et de Smith et Brodie (1992), deux volumes qui étaient des traductions par Irène et Serge Galarneau d'éditions anglaises parues précédemment. Même si une source plus récente pour les noms français des espèces au Québec et au Canada maritime a été publiée par Desroches et Rodrigue (2004), une liste de noms français pour toutes les espèces et sous espèces d'amphibiens et de reptiles en Amérique du Nord au nord de Mexique n'a encore jamais été établie.

Nous avons cherché à établir une liste de noms standardisés pour les amphibiens et les reptiles en langue française. Pour ce faire, nous avons utilisé la taxonomie et la liste des espèces présentées par Crother (2012) en nous référant au termes canadiens-français et cajun dans la mesure du possible. Afin de répondre au grand nombre d'espèces, et pour fournir à chacune d'elles un nom unique, nous avions besoin, dans de nombreux cas, de changer quelques noms français actuellement en usage ou de créer des noms complètement nouveaux. Un lexique des noms comme celui-ci va inévitablement évoluer et se préciser. Notre intention est avant tout que cette liste se révèle utile aux herpétologistes pour communiquer en français.

Though wildlife species in North America may be known by a variety of regional and local names, good communication about these animals invariably requires a standardized list of common names. Without a common reference, mutual understanding becomes difficult, and the drafting of laws and statutes designed to protect these species becomes nearly impossible. Some of the amphibians and reptiles of North America may be known by an assortment of different names. The Common Gartersnake, *Thamnophis sirtalis*, may be known by French-speaking people variously as “Couleuvre rayée”, “Serpent jarretière” or “Serpent barré”. Many other North American species of amphibians and reptiles simply do not have names in French at all. Meanwhile, increasingly sophisticated techniques of molecular genetics have enabled discoveries that require taxonomies to be continually refined and updated, and this necessitates changes to scientific and vernacular nomenclature. It has therefore become more and more important to develop and maintain a list of standardized common names in French for the amphibians and reptiles of North America.

Compilation of vernacular names in French for North America’s herpetofauna began with Alexandre (1937a,b, 1945) and Mélançon (1950), who were the first to write about the amphibians and reptiles of Québec in French. Previously, the only works available in French in Québec were invariably imported from France (Rollinat, 1934; Angel, 1946) and had little to say about North American species. More recently, French names of species present in France and in North America (exotic species, marine turtles) were evaluated and updated (Bour et al., 2008; Lescure 2008). A list of suggested French common names for all Canadian amphibians and reptiles was proposed and later published by Ouellet and Cook (1981). Their list enabled bilingual and French-language publications, including laws and government reports, to employ a standard set of French names for Canadian species at a time when concern about the conservation of these animals was just beginning. French names for most North American species appeared books by Smith (1982) and Smith and Brodie (1992), which were translations by Irène and Serge Galarneau of earlier, English editions. Although a more recent source for French names of species in Quebec and Maritime Canada was published by Desroches and Rodrigue (2004), there has never yet been a list of French names for all the species and subspecies of amphibians and reptiles in North America north of Mexico.

We set out to establish a list of standard names for amphibians and reptiles in French. To do that, we used the taxonomy and species list presented by Crother (2012) and employed pre-existing French-Canadian and Cajun names whenever possible. But to deal with the much greater number of species, and provide each one of them with a unique name, in many cases we needed to change some names currently in use or create completely new names. A lexicon of names such as this will inevitably evolve and be refined. Our intention is that this list will prove to be useful to herpetologists in communicating in French.

## ÉLABORATION DE NOMS STANDARDISÉS

### *Règles utilisées*

Nous avons appliqué les règles suivantes afin de standardiser les noms d'espèces, en ordre de priorité:

1) Lorsqu'un nom régional existait, nous l'avons rendu officiel lorsque ce nom était sensé et lorsqu'il respectait la logique interne de nomenclature pour chaque groupe (ex. *Lithobates catesbeianus*, « Ouaouaron »; *Lampropeltis triangulum triangulum*, « Couleuvre tachetée »).
2) En l'absence d'appellation régionale, nous avons développé dans la mesure du possible un nom français original, ne provenant ni du latin ni du nom anglais, décrivant l'espèce ou une particularité de sa distribution. Par exemple, nous avons appelé « Couleuvre » tous les serpents de la famille des Colubridés.
3) Lorsqu'il était difficile de développer un nom français original, nous avons traduit directement de l'anglais.
4) Lorsque l'élément géographique était peu connu, nous l'avons inclus dans le nom de l'espèce.
5) Pour les noms d'espèces référant à une région ou à un élément de la géographie (rivière, montagne, état) ou encore indiquant une autorité débutant par une voyelle, nous avons préféré l'usage de la préposition « d' » (p. ex. Salamandre mince d'Orégon, Rainette d'Arizona, Tortue géographique d'Escambia), mais nous avons toujours utilisé de l'Est ou de l'Ouest. De plus, nous avons aussi préféré l'usage du déterminant «de la» avec les noms féminins désignant un élément de la géographie (ex. Grenouille léopard de la rivière Virgin, Necture de la côte du Golfe, Tortue géographique de la rivière Pearl), à l'exception d'un état (p. ex. Grenouille léopard de Floride, Couleuvre annelée de Louisiane).
6) Étant donné les changements amenés régulièrement à la taxonomie, nous avons évité de créer de nouveaux noms en francisant les noms latins, à moins qu'ils soient en usage depuis longtemps (p. ex. Anole).

Nous avons adopté la majuscule pour les noms d'espèces, tels que suggéré par Chabot et David (1986), et aussi pratiqué en anglais pour l'herpétofaune et les oiseaux (Crother 2012, Parker 1978). Ainsi, le nom de l'espèce débute toujours par une majuscule, et l'adjectif débute par une majuscule seulement lorsqu'il précède le nom. Par exemple, nous désignerons *Dicamptodon tenebrosus* par « Grande Salamandre du Nord », alors que *Thamnophis radix* s'écrira « Couleuvre rayée des plaines ».

Chaque nom présenté dans la liste est aussi accompagné par le genre entre parenthèses. Ainsi, « Tortue géographique du Nord (f) » indique que le nom est féminin, et « Crapaud de l'Ouest (m) » désigne que le nom est masculin.

### *Cas particuliers*

Lors de la préparation de la liste, nous avons rencontré quelques cas problématiques nous ayant forçant à faire des choix difficiles que nous justifions ci-dessous:

*Amphiuma* : pour les espèces de ce groupe de salamandres anguilliformes, nous avons choisi « Congre » à un, deux, ou trois doigts.

*Cryptobranchus*: afin de rester fidèle au nom anglophone, tout en apportant une description d'un trait de l'espèce dans son nom, nous avons opté pour « Grand Diable » comme traduction de « Hellbender ».

*Desmognathus ochrophaeus* : puisqu'il existe plusieurs salamandres de ce genre vivant en montagne, nous utilisons « Salamandre des montagnes Allegheny ».

*Haideotriton wallacei :* pour cette espèce, nous avons choisi d'utiliser « Salamandre hadéenne de Géorgie », l'épithète « hadéenne » provenant du grec Hadès (« celui qui n'est pas vu ») qui désigne à la fois le nom du dieu grec régnant sous la Terre et son royaume, puisque cette salamandre est aveugle et vit dans des grottes.

*Scaphiopus* et *Spea* : pour les crapauds de ces genres, nous avons traduit « Spadefoot » par « Crapaud pied-bêche », qui désigne la forme particulière de la patte de ces groupes d'espèces.

*Lithobates grylio* : nous avons utilisé le nom cajun « Creux-creux » pour cette espèce qui possède un chant ressemblant à « Creux-creux », aussi décrite comme étant une grenouille vivant dans des canaux.

*Heterodon platirhinos* : le nom « Couleuvres à nez plat » était en usage commun au Canada. Cependant, nous avons opté pour « Couleuvres à groin » pour ce groupe puisque ce nom nous semblait plus descriptif et en meilleur accord avec le nom anglais.

*Opheodrys vernalis* : nous avons ajouté un qualificatif pour la « Couleuvre verte lisse » pour éviter la confusion avec le nom commun du genre.

*Pantheorphis spiloides* : nous avons opté pour le nom de « Couleuvre ratière grise » plutôt que pour « Couleuvre obscure » déjà utilisé par ailleurs pour respecter la nomenclature attribuée au genre.

*Pituophis catenifer* : nous avons opté pour « Couleuvre gaufre » pour cette espèce plutôt que « Couleuvre à nez mince » déjà en usage puisque c'est une meilleure correspondance avec le nom anglais de cette espèce à large répartition géographique.

*Regina septemvittata* : le nom « Couleuvre royale » était en usage commun au Canada. Cependant, le nom « Couleuvre royale » s'applique de façon plus appropriée aux membres du genre *Lampropeltis*. Nous avons donc opté pour « Couleuvre souveraine ».

*Chelydra serpentina* : Nous avons opté pour « Tortue serpentine » plutôt que « Chelydre serpentine » déjà en usage. En effet, nous avons évité les francisations de noms latins puisque ceux-ci changent souvent (p. ex. les membres anciennement du genre *Elaphe* en Amérique), rendant ainsi le nom commun obsolète et inapproprié.

## CITATIONS RECOMMANDÉES

Pour citer toute la liste, il doit être traité comme un volume édité et le format suivant doit être utilisé:

Green, D.M. (éd.) 2012. Noms français standardisés des amphibiens et des reptiles d'Amérique du Nord au nord du Mexique. SSAR Herpetological Circular 40:1-63.

Autrement, chacune des deux sections de la liste peut être citée individuellement comme suit:

Mazerolle, M. J., Y. Dubois, C. Fontenot, P. Galois, D. Lesbarrères, M. Ouellet et D. M. Green. 2012. Noms français standardisés des amphibiens. Pp. 6 – 23. Dans Green, D. M. (éd.). Noms français standardisés des amphibiens et des reptiles d'Amérique du Nord au nord du Mexique. SSAR Herpetological Circular 40:1-63.

Blouin-Demers, G., C. Fontenot, P. Galois, J. Lefebvre, M. Ouellet, D. Pouliot et D. M. Green. 2012. Noms français standardisés des reptiles. Pp. 24 – 63. Dans Green, D. M. (éd.). Noms français standardisés des amphibiens et des reptiles d'Amérique du Nord au nord du Mexique. SSAR Herpetological Circular 40:1-63.

## REMERCIEMENTS

Nous tenons à remercier Brian Crother pour son invitation à élaborer une liste en français, Barry Ancelet pour son aide avec les noms Cajun et Hélène Joly pour son aide avec la grammaire et la traduction.

Ce volume a été publié avec l'aide financière de l'université Acadia, de l'Association canadienne des herpétologistes, du Ministère de l'Environnement et de la Faune du Québec, du Réseau canadien de conservation des amphibiens et des reptiles et de la Faculté d'Agriculture et des Sciences environnementales de l'Université McGill.

## RÉFÉRENCES

Alexandre, É.C., Frère, 1937a. Les couleuvres du Québec. Société Canadienne d'Histoire Naturelle, Montréal, Tract n° 26.

Alexandre, É.C., Frère, 1937b. Les tortues du Québec. Société Canadienne d'Histoire Naturelle, Tract n° 39.

Alexandre, É.C., Frère, 1945. Nos grenouilles et nos crapauds. Société Canadienne d'Histoire Naturelle, Tract n° 82.

Angel, F. 1946. Faune de France. Reptiles et amphibiens. Lechavalier, Paris, 204 pp.

Bour, R., M. Cheylan, P.-A. Crochet, P. Geniez, R. Guyetant, P. Haffner, I. Ineich, G. Naulleau, A.-M. Ohler et J. Lescure. 2008. Liste taxinomique actualisée des amphibiens et reptiles de France. Bulletin de la Société Herpétologique de France 126:37-43.

Chabot, J., et N. David. 1986. La majuscule dans la nomenclature biologique. Canadian Journal of Zoology 64: 2072–2073.

Cook, F.R. 1984. Introduction aux amphibiens et reptiles du Canada. Musée national des sciences naturelles, Ottawa. 211 pp.

Crother, B. I. 2012. Scientific and standard English of amphibians and reptiles of North America north of Mexico, with comments regarding confidence in our understanding. Seventh Edition. SSAR Herpetological Circular 39 :1-92

Desroches, J.-F. et D. Rodrigue. 2004. Amphibiens et reptiles du Québec et des Maritimes. Michel Quintin, Waterloo, Québec. 288 pp.

Lescure, J. 2008. Note explicative à la liste taxinomique actualisée des amphibiens et reptiles de France. Bulletin de la Société Herpétologique de France 126:25-36.

Mélançon, C. 1950. Inconnus et Méconnus. La Société Zoologique de Québec, Québec.

Ouellet, H., et F.R. Cook. 1981. Les noms français des amphibiens et des reptiles du Canada, une liste provisoire. Syllogeus 32:1-7.

Parker, K.C. 1978. A guide to forming and capitalizing compound names of birds in English. Auk 95:324-326.

Rollinat, R. 1934. La vie des reptiles de la France Centrale. Librairie Delagrave, Paris. 343 pp.

Smith, H.M. 1982. Guide des batraciens de l'Amérique du Nord. Marcel Broquet, La Prairie, Québec. 165 p.

Smith, H.M. et E.D. Brodie, Jr. 1992. Guide des reptiles de l'Amérique du Nord. Broquet, La Prairie, Québec. 246 p.

## NOMS FRANÇAIS STANDARDISÉS DES AMPHIBIENS

**Marc J. Mazerolle[1](président du sous-comité), Yohann Dubois[2], Clifford Fontenot[3], Patrick Galois[4], David Lesbarrères[5], Martin Ouellet[6] et David M. Green[7]**

[1]*Centre d'étude de la forêt, Université du Québec en Abitibi-Témiscamingue, 445 boulevard de l'Université, Rouyn-Noranda, Québec J9X 5E4, Canada*

[2]*Direction de l'expertise sur la faune et ses habitats, Secteur Faune Québec, Ministère des Ressources naturelles et de la Faune, 880, chemin Sainte-Foy, 2e étage, Québec (Québec) G1S 4X4, Canada.*

[3] *Department of Biological Sciences, Southeastern Louisiana University, Hammond, Louisiana 70402, USA.*

[4]*Amphibia-Nature, 2932, rue Saint-Émile, Montréal, Québec, H1L 5N5, Canada.*

[5]*Department of Biology, Laurentian University, 935 Ramsey Lake Road, Sudbury, Ontario P3E 2C6, Canada*

[6] *Amphibia-Nature, 469, route d'Irlande, Percé, Québec, G0C 2L0, Canada*

[7]*Musée Redpath, Université McGill, 859 rue Sherbrooke, O., Montréal, Québec H3A 2K6, Canada*

---

### Anura — Grenouilles

---

***Acris*** **Duméril et Bibron, 1841 — RAINETTES GRILLONS (f)** [CRICKET FROGS]

- ***A. blanchardi*** Harper, 1947 — Rainette grillon de Blanchard (f) [Blanchard's Cricket Frog]
- ***A. crepitans*** Baird, 1854 — Rainette grillon de l'Est (f) [Eastern Cricket Frog]
- ***A. gryllus*** (LeConte, 1825) — Rainette grillon du Sud (f) [Southern Cricket Frog]
  - *A. g. dorsalis* (Harlan, 1827) — Rainette grillon de Floride (f) [Florida Cricket Frog]
  - *A. g. gryllus* (LeConte, 1825) — Rainette grillon de la plaine côtière (f) [Coastal Plain Cricket Frog]

***Anaxyrus*** **Tschudi, 1845 — CRAPAUDS D'AMÉRIQUE DU NORD (m)** [NORTH AMERICAN TOADS]

- ***A. americanus*** (Holbrook, 1836) — Crapaud d'Amérique (m) [American Toad]
  - *A. a. americanus* (Holbrook, 1836) — Crapaud d'Amérique de l'Est (m) [Eastern American Toad]
  - *A. a. charlesmithi* (Bragg, 1954) — Crapaud d'Amérique nain (m) [Dwarf American Toad]
- ***A. baxteri*** (Porter, 1968) — Crapaud du Wyoming (m) [Wyoming Toad]

***A. boreas*** (Baird et Girard, 1852) — Crapaud de l'Ouest (m) [Western Toad]
***A. californicus*** (Camp, 1915) — Crapaud des arroyos (m) [Arroyo Toad]
***A. canorus*** (Camp, 1916) — Crapaud de Yosemite (m) [Yosemite Toad]
***A. cognatus*** (Say, 1822) — Crapaud des Grandes Plaines (m) [Great Plains Toad]
***A. debilis*** (Girard, 1854) — Crapaud vert d'Amérique (m) [Chihuahuan Green Toad]
*A. d. debilis* (Girard, 1854) — Crapaud vert de l'Est (m) [Eastern Chihuahuan Green Toad]
*A. d. insidior* (Girard, 1854) — Crapaud vert de l'Ouest (m) [Western Chihuahuan Green Toad]
***A. exsul*** (Myers, 1942) — Crapaud noir (m) [Black Toad]
***A. fowleri*** (Hinckley, 1882) — Crapaud de Fowler (m) [Fowler's Toad]
***A. hemiophrys*** (Cope, 1886) — Crapaud du Canada (m) [Canadian Toad]
***A. houstonensis*** (Sanders, 1953) — Crapaud de Houston (m) [Houston Toad]
***A. microscaphus*** (Cope, 1867) — Crapaud d'Arizona (m) [Arizona Toad]
***A. nelsoni*** (Stejneger, 1893) — Crapaud d'Amargosa (m) [Amargosa Toad]
***A. punctatus*** (Baird et Girard, 1852) — Crapaud à taches rouges (m) [Red-spotted Toad]
***A. quercicus*** (Holbrook, 1840) — Crapaud des chênes (m) [Oak Toad]
***A. retiformis*** (Sanders et Smith, 1951) — Crapaud vert de Sonora (m) [Sonoran Green Toad]
***A. speciosus*** (Girard, 1854) — Crapaud du Texas (m) [Texas Toad]
***A. terrestris*** (Bonnaterre, 1789) — Crapaud criard (m) [Southern Toad]
***A. woodhousii*** (Girard, 1854) — Crapaud de Woodhouse (m) [Woodhouse's Toad]
*A. w. australis* (Shannon et Lowe, 1955) — Crapaud de Woodhouse du Sud-Ouest (m) [Southwestern Woodhouse's Toad]
*A. w. woodhousii* Girard, 1854 — Crapaud des Rocheuses (m) [Rocky Mountain Toad]

**Ascaphus Stejneger, 1899 — GRENOUILLES-À-QUEUE (f)** [TAILED FROGS]
***A. montanus*** Mittleman et Myers, 1949 — Grenouille-à-queue des Rocheuses (f) [Rocky Mountain Tailed Frog]
***A. truei*** Stejneger, 1899 — Grenouille-à-queue côtière (f) [Coastal Tailed Frog]

***Craugastor*** **Cope, 1862 — GRENOUILLES ABOYEUSES (f)** [NORTHERN RAINFROGS]
***C. augusti*** (Dugès, 1879) — Grenouille aboyeuse (f) [Barking Frog]
*C. a. cactorum* Taylor, 1939 "1938" — Grenouille aboyeuse de l'Ouest (f) [Western Barking Frog ]
*C. a. latrans* (Cope, 1880) — Grenouille aboyeuse des falaises (f) [Balcones Barking Frog]

***Eleutherodactylus* Duméril et Bibron, 1841 — GRENOUILLES DES PLUIES (f)** [RAINFROGS]

***E. cystignathoides*** (Cope, 1877) — Grenouille gazouilleuse du Rio Grande (f) [Rio Grande Chirping Frog]

*E. c. campi* Stejneger, 1915 — Grenouille gazouilleuse du Rio Grande (f) [Rio Grande Chirping Frog]

***E. guttilatus*** (Cope, 1879) — Grenouille gazouilleuse tachetée (f) [Spotted Chirping Frog]

***E. marnockii*** (Cope, 1878) — Grenouille gazouilleuse des falaises (f) [Cliff Chirping Frog]

***Gastrophryne* Fitzinger, 1843 — CRAPAUDS À BOUCHE ÉTROITE D'AMÉRIQUE DU NORD (m)** [NORTH AMERICAN NARROW-MOUTHED TOADS]

***G. carolinensis*** (Holbrook, 1835) — Crapauds à bouche étroite de l'Est (m) [Eastern Narrow-mouthed Toad]

***G. olivacea*** (Hallowell, 1856) — Crapauds à bouche étroite de l'Ouest (m) [Western Narrow-mouthed Toad]

***Hyla* Laurenti, 1768 — RAINETTES (f)** [HOLARCTIC TREEFROGS]

***H. andersonii*** Baird, 1854 — Rainette des pinèdes (f) [Pine Barrens Treefrog]

***H. arenicolor*** Cope, 1866 — Rainette des canyons (f) [Canyon Treefrog]

***H. avivoca*** Viosca, 1928 — Rainette à voix d'oiseau (f) [Bird-voiced Treefrog]

*H. a. avivoca* Viosca, 1928 — Rainette à voix d'oiseau de l'Ouest (f) [Western Bird-voiced Treefrog]

*H. a. ogechiensis* Neill, 1948 — Rainette à voix d'oiseau de l'Est (f) [Eastern Bird-voiced Treefrog]

***H. chrysoscelis*** Cope, 1880 — Rainette criarde (f) [Cope's Gray Treefrog]

***H. cinerea*** (Schneider, 1799) — Rainette verte de Caroline (f) [Green Treefrog]

***H. femoralis*** Bosc, 1800 — Rainette fémorale (f) [Pine Woods Treefrog]

***H. gratiosa*** LeConte, 1856 — Rainette jappeuse (f) [Barking Treefrog]

***H. squirella*** Bosc, 1800 — Rainette écureuil (f) [Squirrel Treefrog]

***H. versicolor*** LeConte, 1825 — Rainette versicolore (f) [Gray Treefrog]

***H. wrightorum*** Taylor, 1939 "1938" — Rainette d'Arizona (f) [Arizona Treefrog]

***Hypopachus* Keferstein, 1867 — GRENOUILLES MOUTONS (f)** [SHEEP FROGS]

***H. variolosus*** (Cope, 1866) — Grenouille mouton (f) [Sheep Frog]

***Incilius* Cope, 1863 — CRAPAUDS D'AMÉRIQUE CENTRALE (m)** [CENTRAL AMERICAN TOADS]

***I. alvarius*** (Girard, 1859) — Crapaud du désert (m) [Sonoran Desert Toad]

***I. nebulifer*** (Girard, 1854) — Crapaud de la côte du Golfe (m) [Gulf Coast Toad]

***Leptodactylus* Fitzinger, 1826 — GRENOUILLES DES HERBES NÉOTROPICALES (f)** [NEOTROPICAL GRASS FROGS]

***L. fragilis*** (Brocchi, 1877) — Grenouille à lèvres blanches du Mexique (f) [Mexican White-lipped Frog]

***Lithobates* Fitzinger, 1843 — GRENOUILLES D'EAU D'AMÉRIQUE (f)** [AMERICAN WATER FROGS]

***L. areolatus*** (Baird et Girard, 1852) — Grenouille écrevisse (f) [Crawfish Frog]

*L. a. areolatus* (Baird et Girard, 1852) — Grenouille écrevisse du Sud (f) [Southern Crawfish Frog]

*L. a. circulosus* (Rice et Davis, 1878) — Grenouille écrevisse du Nord (f) [Northern Crawfish Frog]

***L. berlandieri*** (Baird, 1859) — Grenouille léopard du Rio Grande (f) [Rio Grande Leopard Frog]

***L. blairi*** (Mecham, Littlejohn, Oldham, Brown, et Brown, 1973) — Grenouille léopard des plaines (f) [Plains Leopard Frog]

***L. capito*** (Le Conte, 1855) — Grenouille des terriers (f) [Gopher Frog]

***L. catesbeianus*** (Shaw, 1802) — Ouaouaron (m) [American Bullfrog]

***L. chiricahuensis*** (Platz et Mecham, 1979) — Grenouille léopard du Chiricahua (f) [Chiricahua Leopard Frog]

***L. clamitans*** (Latreille, 1801) — Grenouille verte (f) [Green Frog]

***L. fisheri*** (Stejneger, 1893) — Grenouille léopard de la vallée de Vegas (f) [Vegas Valley Leopard Frog]

***L. grylio*** (Stejneger, 1901) — Creux-creux (m) [Pig Frog]

***L. heckscheri*** (Wright, 1924) — Grenouille des rivières (f) [River Frog]

***L. okaloosae*** (Moler, 1985) — Grenouille des tourbières de Floride (f) [Florida Bog Frog]

***L. onca*** (Cope, 1875) — Grenouille léopard de la rivière Virgin (f) [Relict Leopard Frog]

***L. palustris*** (LeConte, 1825) — Grenouille des marais (f) [Pickerel Frog]

***L. pipiens*** (Schreber, 1782) — Grenouille léopard du Nord (f) [Northern Leopard Frog]

***L. septentrionalis*** (Baird, 1854) — Grenouille du Nord (f) [Mink Frog]

***L. sevosus*** (Goin et Netting, 1940) — Grenouille sombre des terriers (f) [Dusky Gopher Frog]

***L. sphenocephalus*** (Cope, 1886) — Grenouille léopard du Sud (f) [Southern Leopard Frog]

*L. s. sphenocephalus* (Cope, 1886) — Grenouille léopard de Floride (f) [Florida Leopard Frog]

*L. s. utricularius* (Harlan, 1825) — Grenouille léopard des plaines côtières (f) [Coastal Plains Leopard Frog]

***L. sylvaticus*** (LeConte, 1825) — Grenouille des bois (f) [Wood Frog]

***L. tarahumarae*** (Boulenger, 1917) — Grenouille tarahumara (f) [Tarahumara Frog]

***L. virgatipes*** (Cope, 1891) — Grenouille charpentière (f) [Carpenter Frog]

***L. yavapaiensis*** (Platz et Frost, 1984) — Grenouille léopard des basses terres (f) [Lowland Leopard Frog]

***Pseudacris* Fitzinger, 1843 — RAINETTES FAUX-GRILLONS (f)**
[CHORUS FROGS ]

***P. brachyphona*** (Cope, 1889) — Rainette faux-grillon des montagnes (f) [Mountain Chorus Frog]

***P. brimleyi*** Brandt et Walker, 1933 — Rainette faux-grillon de Brimley (f) [Brimley's Chorus Frog]

***P. cadaverina*** (Cope, 1866) — Rainette de Californie (f) [California Treefrog]

***P. clarkii*** (Baird, 1854) — Rainette faux-grillon tachetée (f) [Spotted Chorus Frog]

***P. crucifer*** (Wied-Neuwied, 1838) — Rainette crucifère (f) [Spring Peeper]

***P. feriarum*** (Baird, 1854) — Rainette faux-grillon des hautes terres (f) [Upland Chorus Frog]

***P. fouquettei*** Lemmon, Lemmon, Collins, et Cannatella, 2008 — Rainette faux-grillon cajun (f) [Cajun Chorus Frog]

***P. hypochondriaca*** (Hallowell, 1854) — Rainette faux-grillon de Basse Californie (f) [Baja California Treefrog]

*P. h. hypochondriaca* (Hallowell, 1854) — Rainette faux-grillon de Basse Californie du Nord (f) [Northern Baja California Treefrog]

***P. illinoensis*** Smith, 1951 — Rainette faux-grillon d'Illinois (f) [Illinois Chorus Frog]

***P. kalmi*** Harper, 1955 — Rainette faux-grillon du New Jersey (f) [New Jersey Chorus Frog]

***P. maculata*** (Agassiz, 1850) — Rainette faux-grillon boréale (f) [Boreal Chorus Frog]

***P. nigrita*** (Le Conte, 1825) — Rainette faux-grillon australe (f) [Southern Chorus Frog]

***P. ocularis*** (Bosc et Daudin, 1801) — Rainette minuscule (f) [Little Grass Frog]

***P. ornata*** (Holbrook, 1836) — Rainette des marais (f) [Ornate Chorus Frog]

***P. regilla*** (Baird et Girard, 1852) — Rainette du Pacifique (f) [Pacific Treefrog]

***P. sierra*** (Jameson, Mackey, et Richmond, 1966) — Rainette de la Sierra (f) [Sierran Treefrog]

***P. streckeri*** Wright et Wright, 1933 — Rainette faux-grillon de Strecker (f) [Strecker's Chorus Frog]

***P. triseriata*** (Wied-Neuwied, 1838) — Rainette faux-grillon de l'Ouest (f) [Western Chorus Frog]

***Rana* Linnaeus, 1758 — GRENOUILLES BRUNES (f)** [BROWN FROGS]

***R. aurora*** Baird et Girard, 1852 — Grenouille à pattes rouges du Nord (f) [Northern Red-legged Frog]

***R. boylii*** Baird, 1854 — Grenouille à pattes jaunes du piémont (f) [Foothill Yellow-legged Frog]

***R. cascadae*** Slater, 1939 — Grenouille des Cascades (f) [Cascades Frog]

***R. draytonii*** Baird et Girard, 1852 — Grenouille à pattes rouges de Californie (f) [California Red-legged Frog]

***R. luteiventris*** Thompson, 1913 — Grenouille maculée de Columbia (f) [Columbia Spotted Frog]

***R. muscosa*** Camp, 1917 — Grenouille à pattes jaunes des montagnes (f) [Southern Mountain Yellow-legged Frog]
***R. pretiosa*** Baird et Girard, 1853 — Grenouille maculée d'Orégon (f) [Oregon Spotted Frog]
***R. sierrae*** Camp, 1917 — Grenouille à pattes jaunes de la Sierra Nevada (f) [Sierra Nevada Yellow-legged Frog]

***Rhinella* Fitzinger, 1826 — CRAPAUDS D'AMÉRIQUE DU SUD (m)** [SOUTH AMERICAN TOADS]
***R. marina*** (Linnaeus, 1758) — Crapaud marin (m) [Cane Toad]

***Rhinophrynus* Duméril et Bibron, 1841 — CRAPAUDS FOUISSEURS DU MEXIQUE (m)** [BUROWING TOADS]
***R. dorsalis*** Duméril et Bibron, 1841 — Crapaud fouisseur du Mexique (m) [Burrowing Toad]

***Scaphiopus* Holbrook, 1836 — CRAPAUDS PIEDS-BÊCHES D'AMÉRIQUE DU NORD (m)** [NORTH AMERICAN SPADEFOOTS]
***S. couchii*** Baird, 1854 — Crapaud pied-bêche de Couch (m) [Couch's Spadefoot]
***S. holbrookii*** (Harlan, 1835) — Crapaud pied-bêche de l'Est (m) [Eastern Spadefoot]
***S. hurterii*** Strecker, 1910 — Crapaud pied-bêche de Hurter (m) [Hurter's Spadefoot]

***Smilisca* Cope, 1865 — RAINETTES DU MEXIQUE (f)** [MEXICAN TREEFROGS]
***S. baudinii*** (Duméril et Bibron, 1841) — Rainette du Mexique (f) [Mexican Treefrog]
***S. fodiens*** (Boulenger, 1882) — Rainette fouisseuse (f) [Lowland Burrowing Treefrog]

***Spea* Cope, 1866 — CRAPAUDS PIEDS-BÊCHES DE L'OUEST (m)** [WESTERN SPADEFOOTS]
***S. bombifrons*** (Cope, 1863) — Crapaud pied-bêche des Plaines (m) [Plains Spadefoot]
***S. hammondii*** (Baird, 1859 "1857") — Crapaud pied-bêche de l'Ouest (m) [Western Spadefoot ]
***S. intermontana*** (Cope, 1883) — Crapaud pied-bêche du Grand Bassin (m) [Great Basin Spadefoot]
***S. multiplicata*** (Cope, 1863) — Crapaud pied-bêche du Mexique (m) [Mexican Spadefoot]
*S. m. stagnalis* (Cope, 1875) — Crapaud pied-bêche du désert de Chihuahua (m) [Chihuahuan Desert Spadefoot]

## Caudata — Salamandres

***Ambystoma*** **Tschudi, 1838 — SALAMANDRES FOUISSEUSES** (f) [MOLE SALAMANDERS]

- ***A. annulatum*** Cope, 1886 — Salamandre annelée (f) [Ringed Salamander]
- ***A. barbouri*** Kraus et Petranka, 1989 — Salamandre riveraine (f) [Streamside Salamander]
- ***A. bishopi*** Goin, 1950 — Salamandre réticulée (f) [Reticulated Flatwoods Salamander]
- ***A. californiense*** Gray, 1853 — Salamandre tigrée de Californie (f) [California Tiger Salamander]
- ***A. cingulatum*** Cope, 1868 — Salamandre givrée (f) [Frosted Flatwoods Salamander]
- ***A. gracile*** (Baird, 1859) — Salamandre foncée (f) [Northwestern Salamander]
- ***A. jeffersonianum*** (Green, 1827) — Salamandre de Jefferson (f) [Jefferson Salamander]
- ***A. laterale*** Hallowell, 1856 — Salamandre à points bleus (f) [Blue-spotted Salamander]
- ***A. mabeei*** Bishop, 1928 — Salamandre de Mabee (f) [Mabee's Salamander]
- ***A. macrodactylum*** Baird, 1850 — Salamandre à longs doigts (f) [Long-toed Salamander]
  - *A. m. columbianum* Ferguson, 1961 — Salamandre à longs doigts de l'Est (f) [Eastern Long-toed Salamander]
  - *A. m. croceum* Russell et Anderson, 1956 — Salamandre à longs doigts de Santa Cruz (f) [Santa Cruz Long-toed Salamander]
  - *A. m. krausei* Peters, 1882 — Salamandre à longs doigts du Nord (f) [Northern Long-toed Salamander]
  - *A. m. macrodactylum* Baird, 1850 — Salamandre à longs doigts de l'Ouest (f) [Western Long-toed Salamander]
  - *A. m. sigillatum* Ferguson, 1961 — Salamandre à longs doigts du Sud (f) [Southern Long-toed Salamander]
- ***A. maculatum*** (Shaw, 1802) — Salamandre maculée (f) [Spotted Salamander]
- ***A. mavortium*** Baird, 1850 "1849" — Salamandre tigrée à barres (f) [Barred Tiger Salamander]
  - *A. m. diaboli* Dunn, 1940 — Salamandre tigrée grise (f) [Gray Tiger Salamander]
  - *A. m. melanostictum* (Baird, 1860) — Salamandre tigrée à éclaboussures (f) [Blotched Tiger Salamander]
  - *A. m. mavortium* Baird, 1850 "1849" — Salamandre tigrée à barres (f) [Barred Tiger Salamander]
  - *A. m. nebulosum* Hallowell, 1853 — Salamandre tigrée d'Arizona (f) [Arizona Tiger Salamander]
  - *A. m. stebbinsi* Lowe, 1954 — Salamandre tigrée du Sonora (f) [Sonoran Tiger Salamander]
- ***A. opacum*** (Gravenhorst, 1807) — Salamandre marbrée (f) [Marbled Salamander]

*A.* ***talpoideum*** (Holbrook, 1838) — Salamandre fouisseuse (f) [Mole Salamander]
*A.* ***texanum*** (Matthes, 1855) — Salamandre à petite bouche (f) [Small-mouthed Salamander]
*A.* ***tigrinum*** (Green, 1825) — Salamandre tigrée de l'Est (f) [Eastern Tiger Salamander]

***Amphiuma*** **Garden, 1821 — CONGRES (m)** [AMPHIUMAS]
*A.* ***means*** Garden, 1821 — Congre à deux doigts (m) [Two-toed Amphiuma]
*A.* ***pholeter*** Neill, 1964 — Congre à un doigt (m) [One-toed Amphiuma]
*A.* ***tridactylum*** Cuvier, 1827 — Congre à trois doigts (m) [Three-toed Amphiuma]

***Aneides*** **Baird, 1851 — SALAMANDRES GRIMPANTES (f)** [CLIMBING SALAMANDERS]
*A.* ***aeneus*** (Cope et Packard, 1881) — Salamandre verte (f) [Green Salamander]
*A.* ***ferreus*** Cope, 1869 — Salamandre nébuleuse (f) [Clouded Salamander]
*A.* ***flavipunctatus*** (Strauch, 1870) — Salamandre noire (f) [Black Salamander]
*A. f. niger* Myers et Maslin, 1948 — Salamandre noire de Santa Cruz (f) [Santa Cruz Black Salamander]
*A.* ***hardii*** (Taylor, 1941) — Salamandre des montagnes de Sacramento (f) [Sacramento Mountains Salamander]
*A.* ***lugubris*** (Hallowell, 1849) — Salamandre arboricole (f) [Arboreal Salamander]
*A.* ***vagrans*** Wake et Jackman, 1999 — Salamandre errante (f) [Wandering Salamander]

***Batrachoseps*** **Bonaparte, 1839 — SALAMANDRES MINCES (f)** [SLENDER SALAMANDERS]
*B.* ***altasierrae*** Jockusch, Martínez-Solano, Hansen and Wake, 2012 — Salamandre mince des montagnes Greenhorn (f) [Greenhorn Mountains Slender Salamander]
*B.* ***attenuatus*** (Eschscholtz, 1833) — Salamandre mince de Californie (f) [California Slender Salamander]
*B.* ***bramei*** Jockusch, Martínez-Solano, Hansen and Wake, 2012 — Salamandre mince de Fairview (f) [Fairview Slender Salamander]
*B.* ***campi*** Marlow, Brode et Wake, 1979 — Salamandre des montagnes d'Inyo (f) [Inyo Mountains Salamander]
*B.* ***diabolicus*** Jockusch, Wake et Yanev, 1998 — Salamandre mince de Hell Hollow (f) [Hell Hollow Slender Salamander]
*B.* ***gabrieli*** Wake, 1996 — Salamandre mince des montagnes de San Gabriel (f) [San Gabriel Mountains Slender Salamander]
*B.* ***gavilanensis*** Jockusch, Yanev et Wake, 2001 — Salamandre mince des montagnes de Gabilan (f) [Gabilan Mountains Slender Salamander.]
*B.* ***gregarius*** Jockusch, Wake et Yanev, 1998 — Salamandre mince grégaire (f) [Gregarious Slender Salamander]

***B. incognitus*** Jockusch, Yanev et Wake, 2001 — Salamandre mince de San Simeon (f) [San Simeon Slender Salamander]
***B. kawia*** Jockusch, Wake et Yanev, 1998 — Salamandre mince des séquoias (f) [Sequoia Slender Salamander]
***B. luciae*** Jockusch, Yanev et Wake, 2001 — Salamandre mince des montagnes de Santa Lucia (f) [Santa Lucia Mountains Slender Salamander]
***B. major*** Camp, 1915 — Salamandre mince de jardin (f) [Southern Califonia Slender Salamander]
*B. m. aridus* Brame, 1970 — Salamandre mince du désert (f) [Desert Slender Salamander]
*B. m. major* Camp, 1915 — Salamandre de jardin (f) [Garden Salamander]
***B. minor*** Jockusch, Yanev et Wake, 2001 — Salamandre mince mineure (f) [Lesser Slender Salamander.]
***B. nigriventris*** Cope, 1869 — Salamandre mince à ventre noir (f) [Black-bellied Slender Salamander]
***B. pacificus*** (Cope, 1865) — Salamandre mince des îles Channel (f) [Channel Islands Slender Salamander]
***B. regius*** Jockusch, Wake et Yanev, 1998 — Salamandre mince de la rivière Kings (f) [Kings River Slender Salamander]
***B. relictus*** Brame et Murray, 1968 — Salamandre mince relictuelle (f) [Relictual Slender Salamander]
***B. robustus*** Wake, Yanev et Hansen, 2002 — Salamandre du plateau de Kern (f) [Kern Plateau Salamander.]
***B. simatus*** Brame et Murray, 1968 — Salamandre mince du canyon de Kern (f) [Kern Canyon Slender Salamander]
***B. stebbinsi*** Brame et Murray, 1968 — Salamandre mince de Tehachapi (f) [Tehachapi Slender Salamander]
***B. wrighti*** (Bishop, 1937) — Salamandre mince d'Orégon (f) [Oregon Slender Salamander]

***Cryptobranchus* Leuckart, 1821 — GRANDS DIABLES (m)** HELLBENDERS]
***C. alleganiensis*** (Daudin, 1803) — Grand Diable (m) [Hellbender]
*C. a. alleganiensis* (Daudin, 1803) — Grand Diable de l'Est (m) [Eastern Hellbender]
*C. a. bishopi* Grobman, 1943 — Grand Diable des Ozarks (m) [Ozark Hellbender]

***Desmognathus* Baird, 1850 — SALAMANDRES SOMBRES (f)** [DUSKY SALAMANDERS]
***D. abditus*** Anderson et Tilley, 2003 — Salamandre sombre de Cumberland **(f)** [Cumberland Dusky Salamander]
***D. aeneus*** Brown et Bishop, 1947 — Salamandre des résurgences (f) [Seepage Salamander]
***D. apalachicolae*** Means et Karlin, 1989 — Salamandre sombre **d'Apalachicola (f)** [Apalachicola Dusky Salamander]
***D. auriculatus*** (Holbrook, 1838) — Salamandre sombre du Sud (f) [Southern Dusky Salamander]

***D. brimleyorum*** Stejneger, 1895 — Salamandre sombre ouachita (f) [Ouachita Dusky Salamander]
***D. carolinensis*** Dunn, 1916 — Salamandre sombre des montagnes de Caroline (f) [Carolina Mountain Dusky Salamander]
***D. conanti*** Rossman, 1958 — Salamandre sombre maculée (f) [Spotted Dusky Salamander]
***D. folkertsi*** Camp, Tilley, Austin, et Marshall, 2002 — Salamandre à ventre noir naine (f) [Dwarf Black-bellied Salamander]
***D. fuscus*** (Rafinesque, 1820) — Salamandre sombre du Nord (f) [Northern Dusky Salamander]
***D. imitator*** Dunn, 1927 — Salamandre imitatrice (f) [Imitator Salamander]
***D. marmoratus*** (Moore, 1899) — Salamandre à nez plat (f) [Shovel-nosed Salamander]
***D. monticola*** Dunn, 1916 — Salamandre phoque (f) [Seal Salamander]
***D. ochrophaeus*** Cope, 1859 — Salamandre sombre des montagnes Allegheny (f) [Allegheny Mountain Dusky Salamander]
***D. ocoee*** Nicholls, 1949 — Salamandre de la rivière Ocoee (f) [Ocoee Salamander]
***D. orestes*** Tilley et Mahoney, 1996 — Salamandre sombre des Blue Ridge (f) [Blue Ridge Dusky Salamander]
***D. organi*** Crespi, Brown, et Rissler, 2010 — Salamandre pygmée du Nord (f) [Northern Pygmy Salamander]
***D. planiceps*** Newman, 1955 — Salamandre à tête aplatie (f) [Flat-headed Salamander]
***D. quadramaculatus*** (Holbrook, 1840) — Salamandre à ventre noir (f) [Black-bellied Salamander]
***D. santeetlah*** Tilley, 1981 — Salamandre sombre du lac Santeetlah (f) [Santeetlah Dusky Salamander]
***D. welteri*** Barbour, 1950 — Salamandre des montagnes Black (f) [Black Mountain Salamander]
***D. wrighti*** King, 1936 — Salamandre pygmée (f) [Pygmy Salamander]

***Dicamptodon* Strauch, 1870 — GRANDES SALAMANDRES DU PACIFIQUE (f)** [PACIFIC GIANT SALAMANDERS]
***D. aterrimus*** (Cope, 1868) — Grande Salamandre d'Idaho (f) [Idaho Giant Salamander]
***D. copei*** Nussbaum, 1970 — Grande Salamandre de Cope (f) [Cope's Giant Salamander]
***D. ensatus*** (Eschscholtz, 1833) — Grande Salamandre de Californie (f) [California Giant Salamander]
***D. tenebrosus*** (Baird et Girard, 1852) — Grande Salamandre du Nord (f) [Coastal Giant Salamander]

***Ensatina* Gray, 1850 — SALAMANDRES VARIABLES (f)** [ENSATINAS]
***E. eschscholtzii*** Gray, 1850 — Salamandre variable (f) [Ensatina]
*E. e. croceater* (Cope, 1868) — Salamander variable à taches jaunes (f) [Yellow-blotched Ensatina]
*E. e. eschscholtzii* Gray, 1850 — Salamandre variable de Monterey (f) [Monterey Ensatina]

*E. e. klauberi* Dunn, 1929 — Salamandre variable à grandes taches (f) [Large-blotched Ensatina]
*E. e. oregonensis* (Girard, 1856) — Salamandre variable d'Orégon (f) [Oregon Ensatina]
*E. e. picta* Wood, 1940 — Salamandre variable peinte (f) [Painted Ensatina]
*E. e. platensis* (Jimenez de al Espada, 1875) — Salamandre variable de la Sierra Nevada (f) [Sierra Nevada Ensatina]
*E. e. xanthoptica* Stebbins, 1949 — Salamandre variable à oeil jaune (f) [Yellow-eyed Ensatina]

***Eurycea*** **Rafinesque, 1822 — SALAMANDRES DE RUISSEAUX (f)** [BROOK SALAMANDERS]

***E. aquatica*** Rose et Bush, 1963 — Salamandre à dos brun (f) [Brown-backed Salamander]
***E. bislineata*** (Green, 1818) — Salamandre à deux lignes du Nord (f) [Northern Two-lined Salamander]
***E. chamberlaini*** Harrison et Guttman, 2003 — Salamandre naine de Chamberlain (f) [Chamberlain's Dwarf Salamander]
***E. chisholmensis*** Chippindale, Price, Wiens, et Hillis, 2000 — Salamandre de Salado (f) [Salado Salamander]
***E. cirrigera*** (Green, 1831) — Salamandre à deux lignes du Sud (f) [Southern Two-lined Salamander]
***E. guttolineata*** (Holbrook, 1838) — Salamandre à trois lignes (f) [Three-lined Salamander]
***E. junaluska*** Sever, Dundee et Sullivan, 1976 — Salamandre de Junaluska (f) [Junaluska Salamander]
***E. latitans*** Smith et Potter, 1946 — Salamandre des cavernes de Cascade (f) [Cascade Caverns Salamander]
***E. longicauda*** (Green, 1818) — Salamandre à longue queue (f) [Long-tailed Salamander]
*E. l. longicauda* (Green, 1818) — Salamandre à longue queue de l'Est (f) [Eastern Long-tailed Salamander]
*E. l. melanopleura* (Cope, 1894) — Salamandre à flanc sombre (f) [Dark-sided Salamander]
***E. lucifuga*** Rafinesque, 1822 — Salamandre des cavernes (f) [Cave Salamander]
***E. multiplicata*** (Cope, 1869) — Salamandre nervurée (f) [Many-ribbed Salamander]
***E. nana*** Bishop, 1941 — Salamandre de San Marcos (f) [San Marcos Salamander]
***E. naufragia*** Chippindale, Price, Wiens, et Hillis, 2000 — Salamandre de Georgetown (f) [Georgetown Salamander]
***E. neotenes*** Bishop et Wright, 1937 — Salamandre du Texas (f) [Texas Salamander]
***E. pterophila*** Burger, Smith, et Potter, 1950 — Salamandre des rives fougeraises (f) [Fern Bank Salamander]
***E. quadridigitata*** (Holbrook, 1842) — Salamandre naine (f) [Dwarf Salamander]

*E. **rathbuni*** (Stejneger, 1896) — Salamandre aveugle du Texas (f) [Texas Blind Salamander]
*E. **robusta*** (Longley, 1978) — Salamandre aveugle de Blanco (f) [Blanco Blind Salamander]
*E. **sosorum*** Chippindale, Price et Hillis, 1993 — Salamandre des sources Barton (f) [Barton Springs Salamander]
*E. **spelaea*** Stejneger, 1892 — Salamandre des grottes (f) [Grotto Salamander]
*E. **tonkawae*** Chippindale, Price, Wiens, et Hillis, 2000 — Salamandre du plateau de Jollyville (f) [Jollyville Plateau Salamander]
*E. **tridentifera*** Mitchell et Reddell, 1965 — Salamandre aveugle du comté Comal (f) [Comal Blind Salamander]
*E. **troglodytes*** Baker, 1957 — Salamandre de Valdina Farms (f) [Valdina Farms Salamander.]
*E. **tynerensis*** Moore et Hughes, 1939 — Salamandre d'Oklahoma (f) [Oklahoma Salamander]
*E. **waterlooensis*** Hillis, Chamberlain, Wilcox et Chippindale, 2001 — Salamandre aveugle d'Austin (f) [Austin Blind Salamander]
*E. **wilderae*** Dunn, 1920 — Salamandre à deux lignes des Blue Ridge (f) [Blue Ridge Two-lined Salamander]

***Gyrinophilus*** **Cope, 1869 — SALAMANDRES POURPRES (f)** [SPRING SALAMANDERS]

*G. **gulolineatus*** Brandon, 1965 — Salamandre cavernicole de Berry (f) [Berry Cave Salamander]
*G. **palleucus*** McCrady, 1954 — Salamandre cavernicole du Tennessee (f) [Tennessee Cave Salamander]
*G. p. necturoides* Lazell et Brandon, 1962 — Salamandre cavernicole à grande bouche (f) [Big Mouth Cave Salamander]
*G. p. palleucus* McCrady, 1954 — Salamandre pâle (f) [Pale Salamander]
*G. **porphyriticus*** (Green, 1827) — Salamandre pourpre (f) [Spring Salamander]
*G. p. danielsi* (Blatchley, 1901) — Salamandre pourpre des Blue Ridge (f) [Blue Ridge Spring Salamander]
*G. p. dunni* Mittleman et Jopson, 1941 — Salamandre pourpre de Caroline (f) [Carolina Spring Salamander]
*G. p. duryi* (Weller, 1930) — Salamandre pourpre du Kentucky (f) [Kentucky Spring Salamander]
*G. p. porphyriticus* (Green, 1827) — Salamandre pourpre du Nord (f) [Northern Spring Salamander]
*G. **subterraneus*** Besharse et Holsinger, 1977 — Salamandre pourpre de Virginie Occidentale (f) [West Virginia Spring Salamander]

***Haideotriton*** **Carr, 1939 — SALAMANDRES HADÉENNES DE GÉORGIE (f)** [GEORGIA BLIND SALAMANDERS]

*H. **wallacei*** Carr, 1939 — Salamandre hadéenne de Géorgie (f) [Georgia Blind Salamander]

***Hemidactylium* Tschudi, 1838 — SALAMANDRES À QUATRE ORTEILS (f)** [FOUR-TOED SALAMANDERS]
- ***H. scutatum*** (Temminck et Schlegel dans Von Siebold, 1838) — Salamandre à quatre orteils (f) [Four-toed Salamander]

***Hydromantes* Gistel, 1848 — SALAMANDRES À PATTES PALMÉES (f)** [WEB-TOED SALAMANDERS]
- ***H. brunus*** Gorman, 1954 — Salamandre de pentes calcaires (f) [Limestone Salamander]
- ***H. platycephalus*** (Camp, 1916) — Salamandre du mont Lyell (f) [Mount Lyell Salamander]
- ***H. shastae*** Gorman et Camp, 1953 — Salamandre de Shasta (f) [Shasta Salamander]

***Necturus* Rafinesque, 1819 — NECTURES (m)** [WATERDOGS and MUDPUPPIES]
- ***N. alabamensis*** Viosca, 1937 — Necture de la rivière Black Warrior (m) [Black Warrior River Waterdog]
- ***N. beyeri*** Viosca, 1937 — Necture de la côte du Golfe (m) [Gulf Coast Waterdog]
- ***N. lewisi*** Brimley, 1924 — Necture de la rivière Neuse (m) [Neuse River Waterdog]
- ***N. maculosus*** (Rafinesque, 1818) — Necture tacheté (m) [Mudpuppy]
  - *N. m. maculosus* (Rafinesque, 1818) — Necture tacheté commun (m) [Common Mudpuppy]
  - *N. m. louisianensis* Viosca, 1938 — Necture tacheté de la rivière Red (m) [Red River Mudpuppy]
- ***N. punctatus*** (Gibbes, 1850) — Necture nain (m) [Dwarf Waterdog]

***Notophthalmus* Rafinesque, 1820 — TRITONS DE L'EST (m)** [EASTERN NEWTS]
- ***N. meridionalis*** (Cope, 1880) — Triton à taches noires (m) [Black-spotted Newt]
  - *N. m. meridionalis* (Cope, 1880) — Triton à taches noires du Texas (m) [Texas Black-spotted Newt]
- ***N. perstriatus*** (Bishop, 1941) — Triton strié (m) [Striped Newt]
- ***N. viridescens*** (Rafinesque, 1820) — Triton vert (m) [Eastern Newt]
  - *N. v. dorsalis* (Harlan, 1828) — Triton à bande brisée (m) [Broken-striped Newt]
  - *N. v. louisianensis* (Wolterstorff, 1914) — Triton central (m) [Central Newt]
  - *N. v. piaropicola* (Schwartz et Duellman, 1952) — Triton de la péninsule (m) [Peninsula Newt]
  - *N. v. viridescens* (Rafinesque, 1820) — Triton vert (m) [Red-spotted Newt]

***Phaeognathus* Highton, 1961 — SALAMANDRES DES RED HILLS (f)** [RED HILLS SALAMANDERS]
- ***P. hubrichti*** Highton, 1961 — Salamandre des Red Hills (f) [Red Hills Salamander]

***Plethodon*** **Tschudi, 1838 — SALAMANDRES FORESTIÈRES (f)** [WOODLAND SALAMANDERS]

***P. ainsworthi*** Lazell, 1998 — Salamandre de Bay Springs (f) [Bay Springs Salamander]

***P. albagula*** Grobman, 1944 — Salamandre gluante de l'Ouest (f) [Western Slimy Salamander]

***P. amplus*** Highton et Peabody, 2000 — Salamandre à joues grises des Blue Ridge (f) [Blue Ridge Gray-cheeked Salamander]

***P. angusticlavius*** Grobman, 1944 — Salamandre zigzag des Ozarks (f) [Ozark Zigzag Salamander]

***P. asupak*** Mead, Clayton, Nauman, Olson et Pfrender, 2005 — Salamandre de Scott Bar (f) [Scott Bar Salamander]

***P. aureolus*** Highton, 1984 — Salamandre de Tellico (f) [Tellico Salamander]

***P. caddoensis*** Pope et Pope, 1951 — Salamandre de la montagne Caddo (f) [Caddo Mountain Salamander]

***P. chattahoochee*** Highton, 1989 — Salamandre gluante de Chattahoochee (f) [Chattahoochee Slimy Salamander]

***P. cheoah*** Highton et Peabody, 2000 — Salamandre de Cheoah Bald (f) [Cheoah Bald Salamander]

***P. chlorobryonis*** Mittleman, 1951 — Salamandre gluante de la côte Atlantique (f) [Atlantic Coast Slimy Salamander]

***P. cinereus*** (Green, 1818) — Salamandre cendrée (f) [Eastern Red-backed Salamander]

***P. cylindraceus*** (Harlan, 1825) — Salamandre gluante à taches blanches (f) [White-spotted Slimy Salamander]

***P. dorsalis*** Cope, 1889 — Salamandre zigzag du Nord (f) [Northern Zigzag Salamander]

***P. dunni*** Bishop, 1934 — Salamandre de Dunn (f) [Dunn's Salamander]

***P. electromorphus*** Highton, 1999 — Salamandre des ravins du Nord (f) [Northern Ravine Salamander]

***P. elongatus*** Van Denburgh, 1916 — Salamandre Del Norte (f) [Del Norte Salamander]

***P. fourchensis*** Duncan et Highton, 1979 — Salamandre de la montagne Fourche (f) [Fourche Mountain Salamander]

***P. glutinosus*** (Green, 1818) — Salamandre gluante du Nord (f) [Northern Slimy Salamander]

***P. grobmani*** Allen et Neill, 1949 — Salamandre gluante du Sud (f) [Southeastern Slimy Salamander]

***P. hoffmani*** Highton, 1972 — Salamandre des monts et vallées (f) [Valley and Ridge Salamander]

***P. hubrichti*** Thurow, 1957 — Salamandre de Peaks of Otter (f) [Peaks of Otter Salamander]

***P. idahoensis*** Slater et Slipp, 1940 — Salamandre de Coeur d'Alène (f) [Coeur d'Alene Salamander]

***P. jordani*** Blatchley, 1901 — Salamandre à joues rouges (f) [Red-cheeked Salamander]

***P. kentucki*** Mittleman, 1951 — Salamandre du plateau de Cumberland (f) [Cumberland Plateau Salamander]

*P.* ***kiamichi*** Highton, 1989 — Salamandre gluante de Kiamichi (f) [Kiamichi Slimy Salamander]
*P.* ***kisatchie*** Highton, 1989 — Salamandre gluante de Louisiane (f) [Louisiana Slimy Salamander]
*P.* ***larselli*** Burns, 1954 — Salamandre de la montagne Larch (f) [Larch Mountain Salamander]
*P.* ***meridianus*** Highton et Peabody, 2000 — Salamandre à joues grises de la montagne South (f) [South Mountain Gray-cheeked Salamander]
*P.* ***metcalfi*** Brimley, 1912 — Salamandre à joues grises du Sud (f) [Southern Gray-cheeked Salamander]
*P.* ***mississippi*** Highton, 1989 — Salamandre gluante du Mississippi (f) [Mississippi Slimy Salamander]
*P.* ***montanus*** Highton et Peabody, 2000 — Salamandre à joues grises du Nord (f) [Northern Gray-cheeked Salamander]
*P.* ***neomexicanus*** Stebbins et Riemer, 1950 — Salamandre des montagnes Jemez (f) [Jemez Mountains Salamander]
*P.* ***nettingi*** Green, 1938 — Salamandre de la montagne Cheat (f) [Cheat Mountain Salamander]
*P.* ***ocmulgee*** Highton, 1989 — Salamandre gluante d'Ocmulgee (f) [Ocmulgee Slimy Salamander]
*P.* ***ouachitae*** Dunn et Heinze, 1933 — Salamandre de la montagne Rich (f) [Rich Mountain Salamander]
*P.* ***petraeus*** Wynn, Highton et Jacobs, 1988 — Salamandre de la montagne Pigeon (f) [Pigeon Mountain Salamander]
*P.* ***punctatus*** Highton, 1972 — Salamandre de Cow Knob (f) [Cow Knob Salamander]
*P.* ***richmondi*** Netting et Mittleman, 1938 — Salamandre des ravins du Sud (f) [Southern Ravine Salamander]
*P.* ***savannah*** Highton, 1989 — Salamandre gluante de Savannah (f) [Savannah Slimy Salamander]
*P.* ***sequoyah*** Highton, 1989 — Salamandre gluante de Sequoyah (f) [Sequoyah Slimy Salamander]
*P.* ***serratus*** Grobman, 1944 — Salamandre crantée (f) [Southern Red-backed Salamander]
*P.* ***shenandoah*** Highton et Worthington, 1967 — Salamandre de Shenandoah (f) [Shenandoah Salamander]
*P.* ***sherando*** Highton, 2004 — Salamandre de Big Levels (f) [Big Levels Salamander]
*P.* ***shermani*** Stejneger, 1906 — Salamandre à pattes rouges (f) [Red-legged Salamander]
*P.* ***stormi*** Highton et Brame, 1965 — Salamandre des montagnes Siskiyou (f) [Siskiyou Mountains Salamander]
*P.* ***teyahalee*** Hairston, 1950 — Salamandre des Appalaches du Sud (f) [Southern Appalachian Salamander]
*P.* ***vandykei*** Van Denburgh, 1906 — Salamandre de Van Dyke (f) [Van Dyke's Salamander]
*P.* ***variolatus*** (Gilliams, 1818) — Salamandre gluante de Caroline du Sud (f) [South Carolina Slimy Salamander]

***P. vehiculum*** (Cooper, 1860) — Salamandre à dos rayée (f) [Western Red-backed Salamander]
***P. ventralis*** Highton, 1997 — Salamandre zigzag du Sud (f) [Southern Zigzag Salamander]
***P. virginia*** Highton, 1999 — Salamandre de la montagne Shenandoah (f) [Shenandoah Mountain Salamander]
***P. websteri*** Highton, 1979 — Salamandre de Webster (f) [Webster's Salamander]
***P. wehrlei*** Fowler et Dunn, 1917 — Salamandre de Wehrle (f) [Wehrle's Salamander]
***P. welleri*** Walker, 1931 — Salamandre de Weller (f) [Weller's Salamander]
***P. yonahlossee*** Dunn, 1917 — Salamandre de Yonahlossee (f) [Yonahlossee Salamander]

***Pseudobranchus* Gray, 1825 — SIRÈNES NAINES (f)** [DWARF SIRENS]
***P. axanthus*** Netting et Goin, 1942 — Sirène naine du Sud (f) [Southern Dwarf Siren]
*P. a. axanthus* Netting et Goin, 1942 — Sirène naine à lignes étroites (f) [Narrow-striped Dwarf Siren]
*P. a. belli* Schwartz, 1952 — Sirène naine du Sud (f) [Everglades Dwarf Siren]
***P. striatus*** (LeConte, 1824) — Sirène naine du Nord (f) [Northern Dwarf Siren]
*P. s. lustricolus* Neill, 1951 — Sirène naine des hammocks du Golfe (f) [Gulf Hammock Dwarf Siren]
*P. s. spheniscus* Goin et Crenshaw, 1949 — Sirène naine mince (f) [Slender Dwarf Siren]
*P. s. striatus* (LeConte, 1824) — Sirène naine à larges bandes (f) [Broad-striped Dwarf Siren]

***Pseudotriton* Tschudi, 1838 — SALAMANDRES ROUGES (f) et SALAMANDRES DE VASE** (f) [RED SALAMANDERS and MUD SALAMANDERS]
***P. montanus*** Baird, 1850 — Salamandre de vase (f) [Mud Salamander]
*P. m. diastictus* Bishop, 1941 — Salamandre de vase des plaines (f) [Midland Mud Salamander]
*P. m. flavissimus* Hallowell, 1856 — Salamandre de vase de la côte du Golfe (f) [Gulf Coast Mud Salamander]
*P. m. floridanus* Netting et Goin, 1942 — Salamandre de vase rousse (f) [Rusty Mud Salamander]
*P. m. montanus* Baird, 1850 — Salamandre de vase de l'Est (f) [Eastern Mud Salamander]
***P. ruber*** (Sonnini de Manoncourt et Latreille, 1801) — Salamandre rouge (f) [Red Salamander]
*P. r. nitidus* Dunn, 1920 — Salamandre rouge des Blue Ridge (f) [Blue Ridge Red Salamander]
*P. r. ruber* (Latreille, 1801) — Salamandre rouge du Nord (f) [Northern Red Salamander]
*P. r. schencki* (Brimley, 1912) — Salamandre rouge à menton noir (f)

[Black-chinned Red Salamander]
*P. r. vioscai* Bishop, 1928 — Salamandre rouge du Sud (f) [Southern Red Salamander]

***Rhyacotriton* Dunn, 1920 — SALAMANDRE DES TORRENTS (f)** [TORRENT SALAMANDERS]
***R. cascadae*** Good et Wake, 1992 — Salamandre des torrents des Cascades (f) [Cascade Torrent Salamander]
***R. kezeri*** Good et Wake, 1992 — Salamandre des torrents de Columbia (f) [Columbia Torrent Salamander]
***R. olympicus*** (Gaige, 1917) — Salamandre des torrents des Olympiques (f) [Olympic Torrent Salamander]
***R. variegatus*** Stebbins et Lowe, 1951 — Salamandre des torrents du Sud (f) [Southern Torrent Salamander]

***Siren* Österdam, 1766 — SIRÈNES (f)** [SIRENS]
***S. intermedia*** Barnes, 1826 — Sirène mineure (f) [Lesser Siren]
*S. i. intermedia* Barnes, 1826 — Sirène mineure de l'Est (f) [Eastern Lesser Siren]
*S. i. nettingi* Goin, 1942 — Sirène mineure de l'Ouest (f) [Western Lesser Siren]
***S. lacertina*** Österdam, 1766 — Sirène majeure (f) [Greater Siren]

***Stereochilus* Cope, 1869 — SALAMANDRES STRIÉES (f)** [MANY-LINED SALAMANDERS]
***S. marginatus*** (Hallowell, 1856) — Salamandre striée (f) [Many-lined Salamander]

***Taricha* Gray, 1850 — TRITONS DU PACIFIQUE (m)** [PACIFIC NEWTS]
***T. granulosa*** (Skilton, 1849) — Triton rugueux (m) [Rough-skinned Newt]
***T. rivularis*** (Twitty, 1935) — Triton à ventre rouge (m) [Red-bellied Newt]
***T. sierrae*** (Twitty, 1942) — Triton de la Sierra (m) [Sierra Newt]
***T. torosa*** (Rathke, dans Eschscholtz, 1833) — Triton de Californie (m) [California Newt]

***Urspelerpes* Camp, Peterman, Milanovich, Lamb, Maerz et Wake, 2009 — SALAMANDRES À NEZ TACHETÉ (f)** [PATCH-NOSED SALAMANDERS]
***U. brucei*** Camp, Peterman, Milanovich, Lamb, Maerz et Wake, 2009 — Salamandre à nez tacheté (f) [Patch-nosed salamander.]

## Espèces d'amphibiens exotiques

*GRENOUILLES*

***Dendrobates*** **Wagler, 1830 — DENDROBATES (m)** [POISON DART FROGS]

***D. auratus*** Girard, 1855 — Dendrobate doré (m) [Green-and-black Poison Dart Frog]

***Eleutherodactylus*** **Duméril et Bibron, 1841 — GRENOUILLES DES PLUIES (f)** [RAIN FROGS]

***E. coqui*** Thomas, 1966 — Coqui (m) [Coquí]

***E. planirostris*** (Cope, 1862) — Grenouille des serres (f) [Greenhouse Frog]

***Glandirana*** **Fei, Ye, et Huang, 1991 — GRENOUILLES RIDÉES (f)** [WRINKLED FROGS]

***G. rugosa*** (Temminck et Schlegel, 1838) — Grenouille ridée du Japon (f) [Japanese Wrinkled Frog]

***Osteopilus*** **Fitzinger, 1843 — RAINETTES DES ANTILLES (f)** [WEST INDIAN TREEFROGS]

***O. septentrionalis*** (Duméril et Bibron, 1841) — Rainette de Cuba (f) [Cuban Treefrog]

***Xenopus*** **Wagler, 1827 — GRENOUILLES À GRIFFES (f)** [CLAWED FROGS]

***X. laevis*** (Daudin, 1802) — Grenouille à griffes d'Afrique (f) [African Clawed Frog]

## NOMS FRANÇAIS STANDARDISÉS DES REPTILES

**Gabriel Blouin-Demers[1](président du sous-comité), Clifford Fontenot[2], Patrick Galois[3], Jose Lefebvre[4], Martin Ouellet[5], Daniel Pouliot[6], et David M. Green[7]**

[1] *Département de Biologie , Université d'Ottawa, 30 Marie-Curie, Ottawa (Ontario) K1N 6N5, Canada.*

[2]*Department of Biological Sciences, Southeastern Louisiana University, Hammond, Louisiana 70402, USA.*

[3]*Amphibia-Nature, 2932, rue Saint-Émile, Montréal, Québec, H1L 5N5, Canada.*

[4] *Biology Department, Acadia University, 33 Westwood Ave,. Wolfville Nova Scotia, B4P 2R6, Canada.*

[5] *Amphibia-Nature, 469, route d'Irlande, Percé, Québec, G0C 2L0, Canada*

[6] *Parc national Kejimkujik, C. P. 236, Maitland Bridge, Annapolis County, Nouvelle-Écosse B0T 1B0, Canada*

[7]*Musée Redpath, Université McGill, 859 rue Sherbrooke, O., Montréal, Québec H3A 2K6, Canada*

### Crocodylia – Crocodiliens

***Alligator*** **Cuvier, 1807 — ALLIGATORS (m)** [ALLIGATORS]

***A. mississipiensis*** (Daudin, 1801) — Alligator d'Amérique (m) [American Alligator]

***Crocodylus*** **Laurenti, 1768 — CROCODILES (m)** [CROCODILES]

***C. acutus*** Cuvier, 1807 — Crocodile d'Amérique (m) [American Crocodile]

### Squamata – Lézards

***Anniella*** **Gray, 1852 — LÉZARDS APODES D'AMÉRIQUE DU NORD (m)** [NORTH AMERICAN LEGLESS LIZARDS]

***A. pulchra*** Gray, 1852 — Lézard apode de Californie (m) [California Legless Lizard]

***Anolis*** **Daudin, 1802 — ANOLES (m)** [ANOLES]

***A. carolinensis*** (Voigt, 1832) — Anole vert (m) [Green Anole]

*A. c. carolinensis* (Voigt, 1832) — Anole vert du Nord (m) [Northern Green Anole]

*A. c. seminolus* Vance, 1991 — Anole vert du Sud (m) [Southern Green Anole]

***A. (Ctenonotus) distichus*** Cope, 1861 — Anole écorce (m) [Bark Anole]

*A. (C.) d. floridanus* Smith et McCauley, 1948 — Anole écorce de Floride (m) [Florida Bark Anole]

***Aspidoscelis*** **Fitzinger, 1843 — QUEUES-FOUET (m)** [WHIPTAILS]

***A. arizonae*** (Van Denburgh, 1896) — Queue-fouet d'Arizona (m) [Arizona Striped Whiptail]

*A. **exsanguis*** (Lowe, 1956) — Queue-fouet tacheté de Chihuahua (m) [Chihuahuan Spotted Whiptail]

*A. **flagellicauda*** (Lowe et Wright, 1964) — Queue-fouet tacheté de Gila (m) [Gila Spotted Whiptail]

*A. **gularis*** (Baird et Girard, 1852) — Queue-fouet tacheté commun (m) [Common Spotted Whiptail]

*A. g. gularis* (Baird et Girard, 1852) — Queue-fouet tacheté du Texas (m) [Texas Spotted Whiptail]

*A. **hyperythra*** (Cope, 1863) — Queue-fouet à gorge orange (m) [Orange-throated Whiptail]

*A. h. beldingi* (Stejneger, 1894) — Queue-fouet à gorge orange de Belding (m) [Belding's Orange-throated Whiptail]

*A. **inornata*** (Baird, 1859 "1858") — Queue-fouet rayé pygmé (m) [Little Striped Whiptail]

*A. i. gypsi* (Wright et Lowe, 1993) — Queue-fouet blanc (m) [Little White Whiptail]

*A. i. heptagramma* (Axtell, 1961) — Queue-fouet rayé de Trans-Pecos (m) [Trans-Pecos Striped Whiptail]

*A. i. junipera* (Wright et Lowe, 1993) — Queue-fouet rayé forestières (m) [Woodland Striped Whiptail]

*A. i. llanuras* (Wright et Lowe, 1993) — Queue-fouet rayé des plaines (m) [Plains Striped Whiptail]

*A. **laredoensis*** (McKinney, Kay et Anderson, 1973) — Queue-fouet rayé de Laredo (m) [Laredo Striped Whiptail]

*A. **marmorata*** (Baird et Girard, 1852) — Queue-fouet marbré (m) [Marbled Whiptail]

*A. m. marmorata* (Baird et Girard, 1852) — Queue-fouet marbré de l'Ouest (m) [Western Marbled Whiptail]

*A. m. reticuloriens* (Vance, 1978) — Queue-fouet marbré de l'Est (m) [Eastern Marbled Whiptail]

*A. **neomexicana*** (Lowe et Zweifel, 1952) — Queue-fouet du Nouveau-Mexique (m) [New Mexico Whiptail]

*A. **neotesselata*** (Walker, Cordes et Taylor, 1997) — Queue-fouet à damier du Colorado (m) [Colorado Checkered Whiptail]

*A. **pai*** (Wright et Lowe, 1993) — Queue-fouet rayé de Pai (m) [Pai Striped Whiptail]

*A. **scalaris*** (Cope, 1892) — Queue-fouet tacheté des plateaux (m) [Plateau Spotted Whiptail]

*A. s. septemvittata* (Cope, 1892) — Queue-fouet tacheté de Big Bend (m) [Big Bend Spotted Whiptail]

*A. **sexlineata*** (Linnaeus, 1766) — Queue-fouet à six lignes (m) [Six-lined Racerunner]

*A. s. sexlineata* (Linnaeus, 1766) — Queue-fouet à six lignes de l'Est (m) [Eastern Six-lined Racerunner]

*A. s. stephensae* (Trauth, 1992) — Queue-fouet à six lignes à tête jaune (m) [Texas Yellow-headed Racerunner]

*A. s. viridis* (Lowe, 1966) — Queue-fouet à six lignes des prairies (m) [Prairie Racerunner]

*A.* ***sonorae*** (Lowe et Wright, 1964) — Queue-fouet tacheté de Sonora (m) [Sonoran Spotted Whiptail]
*A.* ***stictogramma*** (Burger, 1950) — Queue-fouet tacheté géant (m) [Giant Spotted Whiptail]
*A.* ***tesselata*** (Say, dans James, 1823) — Queue-fouet à damier commun (m) [Common Checkered Whiptail]
*A.* ***tigris*** (Baird et Girard, 1852) — Queue-fouet tigre (m) [Tiger Whiptail]
*A. t. munda* (Camp, 1916) — Queue-fouet tigre de Californie (m) [California Whiptail]
*A. t. punctilinealis* (Dickerson,1919) — Queue-fouet tigre de Sonora (m) [Sonoran Tiger Whiptail]
*A. t. septentrionalis* (Burger, 1950) — Queue-fouet tigre des plateaux (m) [Plateau Tiger Whiptail]
*A. t. stejnegeri* (Van Denburgh, 1894) — Queue-fouet tigre côtier (m) [Coastal Whiptail]
*A. t. tigris* (Baird et Girard, 1852) — Queue-fouet tigre du Grand Bassin (m) [Great Basin Whiptail]
*A.* ***uniparens*** (Wright et Lowe, 1965) — Queue-fouet des prairies désertiques (m) [Desert Grassland Whiptail]
*A.* ***velox*** (Springer, 1928) — Queue-fouet rayé des plateaux (m) [Plateau Striped Whiptail]
*A.* ***xanthonota*** (Duellman et Lowe 1953) — Queue-fouet à dos rouge (m) [Red-backed Whiptail]

***Callisaurus*** **Blainville, 1835 — LÉZARDS À QUEUE ZÉBRÉE (m)** [ZEBRA-TAILED LIZARDS]
*C.* ***draconoides*** Blainville, 1835 — Lézard à queue zébrée (m) [Zebra-tailed Lizard]
*C. d. myurus* Richardson, 1915 — Lézard à queue zébrée du Nord (m) [Northern Zebra-tailed Lizard ]
*C. d. rhodostictus* Cope, 1896 — Lézard à queue zébrée de l'Ouest (m) [Western Zebra-tailed Lizard]
*C. d. ventralis* (Hallowell, 1852) — Lézard à queue zébrée de l'Est (m) [Eastern Zebra-tailed Lizard]

***Coleonyx*** **Gray, 1845 — GECKOS À BANDES (m)** [BANDED GECKOS]
*C.* ***brevis*** Stejneger, 1893 — Gecko à bandes du Texas (m) [Texas Banded Gecko]
*C.* ***reticulatus*** Davis et Dixon, 1958 — Gecko à bandes réticulé (m) [Reticulate Banded Gecko]
*C.* ***switaki*** (Murphy, 1974) — Gecko à bandes de Switak (m) [Switak's Banded Gecko]
*C. s. switaki* (Murphy, 1974) — Gecko à bandes péninsulaire (m) [Peninsular Banded Gecko]
*C.* ***variegatus*** (Baird, 1859 "1858") — Gecko à bandes de l'Ouest (m) [Western Banded Gecko]
*C. v. abbotti* Klauber, 1945 — Gecko à bandes de San Diego (m) [San Diego Banded Gecko]

*C. v. bogerti* Klauber, 1945 — Gecko à bandes de Tucson (m) [Tucson Banded Gecko]
*C. v. utahensis* Klauber, 1945 — Gecko à bandes de l'Utah (m) [Utah Banded Gecko]
*C. v. variegatus* (Baird, 1859) — Gecko à bandes du désert (m) [Desert Banded Gecko]

***Cophosaurus* Troschel, 1852 "1850" — LÉZARDS SANS OREILLES MAJEURS (m)** [GREATER EARLESS LIZARDS]
***C. texanus*** Troschel, 1852 "1850" — Lézard sans oreilles majeur (m) [Greater Earless Lizard]
*C. t. scitulus* (Peters, 1951) — Lézard sans oreilles majeur de Chihuahua (m) [Chihuahuan Greater Earless Lizard]
*C. t. texanus* Troschel, 1852 — Lézard sans oreilles majeur du Texas (m) [Texas Greater Earless Lizard]

***Crotaphytus* Holbrook, 1842 — LÉZARDS À COLLIER (m)** [COLLARED LIZARDS]
***C. bicinctores*** Smith et Tanner, 1972 — Lézard à collier du Grand Bassin (m) [Great Basin Collared Lizard]
***C. collaris*** (Say, 1823) — Lézard à collier de l'Est (m) [Eastern Collared Lizard]
***C. nebrius*** Axtell et Montanucci, 1977 — Lézard à collier de Sonora (m) [Sonoran Collared Lizard]
***C. reticulatus*** Baird, 1859 "1858" — Lézard à collier réticulé (m) [Reticulate Collared Lizard]
***C. vestigium*** Smith et Tanner, 1972 — Lézard à collier de Basse Californie (m) [Baja California Collared Lizard]

***Dipsosaurus* Hallowell, 1854 — IGUANES DU DÉSERT (m)** [DESERT IGUANAS]
***D. dorsalis*** (Baird et Girard, 1852) — Iguane du désert (m) [Desert Iguana]
*D. d. dorsalis* (Baird et Girard, 1852) — Iguane du désert du Nord (m) [Northern Desert Iguana]

***Elgaria* Gray, 1838 — LÉZARDS ALLIGATORS DE L'OUEST (m)** [WESTERN ALLIGATOR LIZARDS]
***E. coerulea*** (Wiegmann, 1828) — Lézard alligator du Nord (m) [Northern Alligator Lizard]
*E. c. coerulea* (Wiegmann, 1828) — Lézard alligator de San Francisco (m) [San Francisco Alligator Lizard]
*E. c. palmeri* (Stejneger, 1893) — Lézard alligator de la Sierra Nevada (m) [Sierra Alligator Lizard]
*E. c. principis* Baird et Girard, 1852 — Lézard alligator du Nord-Ouest (m) [Northwestern Alligator Lizard]
*E. c. shastensis* (Fitch, 1934) — Lézard alligator de Shasta (m) [Shasta Alligator Lizard]
***E. kingii*** Gray, 1838 — Lézard alligator de la Sierra Madre (m) [Madrean Alligator Lizard]

*E. k. nobilis* Baird et Girard, 1852 — Lézard alligator d'Arizona (m) [Arizona Alligator Lizard]

***E. multicarinata*** (Blainville, 1835) — Lézard alligator du Sud (m) [Southern Alligator Lizard]

*E. m. multicarinata* (Blainville, 1835) — Lézard alligator de Californie (m) [California Alligator Lizard]

*E. m. scincicauda* (Skilton, 1849) — Lézard alligator d'Oregon (m) [Oregon Alligator Lizard]

*E. m. webbii* (Baird, 1859 "1858") — Lézard alligator de San Diego (m) [San Diego Alligator Lizard]

***E. panamintina*** (Stebbins, 1958) — Lézard alligator du Panamint (m) [Panamint Alligator Lizard]

***Gambelia* Baird 1859 "1858" — LÉZARDS LÉOPARDS (m)** [LEOPARD LIZARDS]

***G. copeii*** (Yarrow, 1882) — Lézard léopard de Cope (m) [Cope's Leopard Lizard]

***G. sila*** (Stejneger, 1890) — Lézard léopard à nez court (m) [Blunt-nosed Leopard Lizard]

***G. wislizenii*** (Baird et Girard, 1852) — Lézard léopard à nez long (m) [Long-nosed Leopard Lizard]

***Gerrhonotus* Wiegmann, 1828 — LÉZARDS ALLIGATORS DE L'EST (m)** [EASTERN ALLIGATOR LIZARDS]

***G. infernalis*** Baird, 1859 "1858" — Lézard alligator du Texas (m) [Texas Alligator Lizard]

***Heloderma* Wiegmann, 1829 — MONSTRES DE GILA et MONSTRES PERLÉS (m)** [GILA MONSTERS and BEADED LIZARDS]

***H. suspectum*** Cope, 1869 — Monstre de Gila (m) [Gila Monster]

*H. s. cinctum* Bogert et Martín del Campo, 1956 — Monstre de Gila à bandes (m) [Banded Gila Monster]

*H. s. suspectum* Cope, 1869 — Monstre de Gila réticulé (m) [Reticulate Gila Monster]

***Holbrookia* Girard, 1851 — LÉZARDS SANS OREILLES MINEURS (m)** [LESSER EARLESS LIZARDS]

***H. elegans*** Bocourt, 1874 — Lézard sans oreilles mineur élégant (m) [Elegant Earless Lizard]

*H. e. thermophila* Barbour, 1921 — Lézard sans oreilles mineur de Sonora (m) [Sonoran Earless Lizard]

***H. lacerata*** Cope, 1880 — Lézard sans oreilles mineur à queue tachetée (m) [Spot-tailed Earless Lizard]

*H. l. lacerata* Cope, 1880 — Lézard sans oreilles mineur à queue tachetée du Nord (m) [Northern Spot-tailed Earless Lizard]

*H. l. subcaudalis* Axtell, 1956 — Lézard sans oreilles mineur à queue tachetée du Sud (m) [Southern Spot-tailed Earless Lizard]

***H. maculata*** Girard, 1851 — Lézard sans oreilles mineur commun (m) [Common Lesser Earless Lizard]

*H. m. approximans* Baird, 1859 "1858" — Lézard sans oreilles mineur tacheté (m) [Speckled Earless Lizard]
*H. m. bunkeri* Smith, 1935 — Lézard sans oreilles mineur de Bunker (m) [Bunker's Earless Lizard]
*H. m. maculata* Girard, 1851 — Lézard sans oreilles mineur des Grandes Plaines (m) [Great Plains Earless Lizard]
*H. m. perspicua* Axtell, 1956 — Lézard sans oreilles mineur des prairies (m) [Prairie Earless Lizard]
*H. m. pulchra* Schmidt, 1921 — Lézard sans oreilles mineur des Huachucas (m) [Huachuca Earless Lizard]
*H. m. ruthveni* Smith, 1943 — Lézard sans oreilles mineur pâle (m) [Bleached Earless Lizard]
***H. propinqua*** Baird et Girard 1852 — Lézard sans oreilles mineur caréné (m) [Keeled Earless Lizard]
H. p. *propinqua* Baird et Girard 1852 — Lézard sans oreilles mineur caréné du Nord (m) [Northern Keeled Earless Lizard]

***Ophisaurus* DAUDIN, 1803 — LÉZARDS CASSANTS (m)** [GLASS LIZARDS]
***O. attenuatus*** Cope, 1880 — Lézard cassant élancé (m) [Slender Glass Lizard]
*O. a. attenuatus* Cope, 1880 — Lézard cassant élancé de l'Ouest (m) [Western Slender Glass Lizard]
*O. a. longicaudus* McConkey, 1952 — Lézard cassant élancé de l'Est (m) [Eastern Slender Glass Lizard]
***O. compressus*** Cope, 1900 — Lézard cassant insulaire (m) [Island Glass Lizard]
***O. mimicus*** Palmer, 1987 — Lézard cassant mimétique (m) [Mimic Glass Lizard]
***O. ventralis*** (Linnaeus, 1766) — Lézard cassant de l'Est (m) [Eastern Glass Lizard]

***Petrosaurus* BOULENGER, 1885 — LÉZARDS DES ROCHERS DE CALIFORNIE (m)** [CALIFORNIA ROCK LIZARDS]
***P. mearnsi*** (Stejneger, 1894) — Lézard des rochers à bandes (m) [Banded Rock Lizard]
*P. m. mearnsi* (Stejneger, 1894) — Lézard des rochers de Mearn (m) [Mearns' Rock Lizard]

***Phrynosoma* Wiegmann, 1828 — LÉZARDS CORNUS (m)** [HORNED LIZARDS]
***P. cornutum*** (Harlan, 1825) — Lézard cornu du Texas (m) [Texas Horned Lizard]
***P. (Anota) blainvillii*** Gray, 1839 — Lézard cornu de Blainville (m) [Blainville's Horned Lizard]
***P. (Tapaja) douglasii*** (Bell, 1829) — Lézard à petites cornes mineur (m) [Pygmy Short-horned Lizard]
***P. (Doliosaurus) goodei*** Stejnejer, 1893 — Lézard cornu de Goode (m) [Goode's Horned Lizard ]

***P. (Tapaja) hernandesi*** Girard, 1858 — Lézard à petites cornes majeur (m) [Greater Short-horned Lizard]

*P. (T.) h. hernandesi* Girard, 1858 — Lézard à petites cornes d'Hernandez (m) [Hernandez's Short-horned Lizard]

***P. (Anota) mcallii*** (Hallowell, 1852) — Lézard cornu à queue platte (m) [Flat-tailed Horned Lizard]

***P. (Doliosaurus) modestum*** Girard, 1852 — Lézard cornu à queue ronde (m) [Round-tailed Horned Lizard]

***P. (Doliosaurus) platyrhinos*** Girard, 1852 — Lézard cornu du désert (m) [Desert Horned Lizard]

*P. (D.) p. calidiarum* (Cope, 1896) — Lézard cornu du désert du Sud (m) [Southern Desert Horned Lizard]

*P. (D.) p. platyrhinos* Girard, 1852 — Lézard cornu du désert du Nord (m) [Northern Desert Horned Lizard]

***P. (Anota) solare*** Gray, 1845 — Lézard cornu royal (m) [Regal Horned Lizard]

***Phyllodactylus* Gray, 1828 — GECKOS À ORTEILS FOLIACÉS (m)** [LEAF-TOED GECKOS]

***P. nocticolus*** Dixon, 1964 — Gecko à orteils foliacés péninsulaire (m) [Peninsular Leaf-toed Gecko]

***Plestiodon* Duméril et Bibron, 1839 — SCINQUES DENTÉS (M)** [TOOTHY SKINKS]

***P. anthracinus*** (Baird, 1850) — Scinque anthracite (m) [Coal Skink]

*P. a. anthracinus* Baird,1850 — Scinque anthracite du Nord (m) [Northern Coal Skink]

*P. a. pluvialis* (Cope, 1880) — Scinque anthracite du Sud (m) [Southern Coal Skink]

***P. callicephalus*** (Bocourt, 1879 dans Duméril, Mocquard & Bocourt, 1870-1909) — Scinque des montagnes (m) [Mountain Skink]

***P. egregius*** Baird, 1859 "1858" — Scinque taupe (m) [Mole Skink]

*P. e. egregius* Baird, 1859 — Scinque taupe des Keys de Floride (m) [Florida Keys Mole Skink]

*P. e. insularis* (Mount, 1965) — Scinque taupe de Cedar Key (m) [Cedar Key Mole Skink]

*P. e. lividus* (Mount, 1965) — Scinque taupe à queue bleue (m) [Blue-tailed Mole Skink]

*P. e. onocrepis* Cope, 1871 — Scinque taupe péninsulaire (m) [Peninsula Mole Skink]

*P. e. similis* (McConkey, 1957) — Scinque taupe du Nord (m) [Northern Mole Skink]

***P. fasciatus*** (Linnaeus, 1758) — Scinque pentaligne commun (m) [Common Five-lined Skink]

***P. gilberti*** (Van Denburgh, 1896) — Scinque de Gilbert (m) [Gilbert's Skink]

*P. g. arizonensis* (Lowe et Shannon, 1954) — Scinque de Gilbert d'Arizona (m) [Arizona Skink]

*P. g. cancellosus* (Rodgers et Fitch, 1947) — Scinque de Gilbert multicolore (m) [Variegated Skink]
*P. g. gilberti* (Van Denburgh, 1896) — Scinque de Gilbert brun (m) [Greater Brown Skink]
*P. g. placerensis* (Rodgers, 1944) — Scinque de Gilbert du Nord (m) [Northern Brown Skink]
*P. g. rubricaudatus* (Taylor, 1935) — Scinque de Gilbert à queue rouge (m) [Western Red-tailed Skink]
***P. inexpectatus*** (Taylor, 1932) — Scinque pentaligne du Sud-Est (m) [Southeastern Five-lined Skink]
***P. laticeps*** (Schneider, 1801) — Scinque à tête large (m) [Broad-headed Skink]
***P. multivirgatus*** Hallowell, 1857 — Scinque multiligne (m) [Many-lined Skink]
*P. m. epipleurotus* (Cope, 1880) — Scinque variable (m) [Variable Skink]
*P. m. multivirgatus* Hallowell, 1857 — Scinque multiligne du Nord (m) [Northern Many-lined Skink]
***P. obsoletus*** Baird et Girard, 1852 — Scinque des Grandes Plaines (m) [Great Plains Skink]
***P. reynoldsi*** (Stejneger, 1910) — Scinque des sables de Floride (m) [Florida Sand Skink]
***P. septentrionalis*** Baird, 1859 "1858" — Scinque des prairies (m) [Prairie Skink]
*P. s. obtusirostris* (Bocourt, 1879) — Scinque des prairies du Sud (m) [Southern Prairie Skink]
*P. s. pallidus* (Smith et Slater, 1949) — Scinque des prairies pâle (m) [Pallid Skink]
*P. s. septentrionalis* Baird, 1859 — Scinque des prairies du Nord (m) [Northern Prairie Skink]
***P. skiltonianus*** Baird et Girard, 1852 — Scinque de l'Ouest (m) [Western Skink]
*P. s. interparietalis* (Tanner, 1958 "1957") — Scinque du Coronado (m) [Coronado Skink]
*P. s. skiltonianus* Baird et Girard, 1852 — Scinque de Skilton (m) [Skilton's Skink]
*P. s. utahensis* (Tanner, 1958 "1957") — Scinque du Grand Bassin (m) [Great Basin Skink]
***P. tetragrammus*** Baird, 1859 "1858" — Scinque tétraligne (m) [Four-lined Skink]
*P. t. brevilineatus* (Cope, 1880) — Scinque à lignes courtes (m) [Short-lined Skink]
*P. t. tetragrammus* Baird, 1859 — Scinque à lignes longues (m) [Long-lined Skink]

***Rhineura*** **Cope, 1861 — LÉZARD VER À MUSEAU LARGE (m)** [WIDE-SNOUTED WORMLIZARDS]
***R. floridana*** (Baird, 1859 "1858") — Lézard ver de Floride (m) [Florida Wormlizard]

***Sauromalus* Duméril, 1856 — CHUCKWALLAs (m)** [CHUCKWALLAS]
  ***S. ater*** Duméril, 1856 — Chuckwalla commun (m) [Common Chuckwalla]

***Sceloporus* Wiegmann, 1828 — LÉZARDS ÉPINEUX (m)** [SPINY LIZARDS]
  ***S. arenicolus*** Degenhardt et Jones, 1972 — Lézard des armoises des dunes (m) [Dunes Sagebrush Lizard]
  ***S. bimaculosus*** Phelan et Brattstrom, 1955 — Lézard épineux ponctué (m) [Twin-spotted Spiny Lizard]
  ***S. clarkii*** Baird et Girard, 1852 — Lézard épineux de Clark (m) [Clark's Spiny Lizard]
    *S. c. clarkii* Baird et Girard, 1852 — Lézard épineux de Sonora (m) [Sonoran Spiny Lizard]
    *S. c. vallaris* Shannon et Urbano, 1954 — Lézard épineux des plateaux (m) [Plateau Spiny Lizard]
  ***S. consobrinus*** Baird et Girard, 1853 — Lézard épineux des prairies (m) [Prairie Lizard]
  ***S. cowlesi*** Lowe et Norris, 1956 — Lézard des palissades du Sud-Ouest (m) [Southwestern Fence Lizard]
  ***S. cyanogenys*** Cope, 1885 — Lézard épineux bleu (m) [Blue Spiny Lizard]
  ***S. graciosus*** Baird et Girard, 1852 — Lézard des armoises commun (m) [Common Sagebrush Lizard]
    *S. g. gracilis* Baird et Girard, 1852 — Lézard des armoises de l'Ouest (m) [Western Sagebrush Lizard]
    *S. g. graciosus* Baird et Girard, 1852 — Lézard des armoises du Nord (m) [Northern Sagebrush Lizard]
    *S. g. vandenburgianus* Cope, 1896 — Lézard des armoises du Sud (m) [Southern Sagebrush Lizard]
  ***S. grammicus*** Wiegmann, 1828 — Lézard des mesquites (m) [Graphic Spiny Lizard]
    *S. g. microlepidotus* Wiegmann, 1828 — Lézard des mesquites (m) [Mesquite Lizard]
  ***S. jarrovii*** Cope, dans Yarrow, 1875 — Lézard épineux de Yarrow (m) [Yarrow's Spiny Lizard]
  ***S. magister*** Hallowell, 1854 — Lézard épineux du désert (m) [Desert Spiny Lizard]
  ***S. merriami*** Stejneger, 1904 — Lézard des canyons (m) [Canyon Lizard]
    *S. m. annulatus* Smith, 1937 — Lézard des canyons de Big Bend (m) [Big Bend Canyon Lizard]
    *S. m. longipunctatus* Olson, 1973 — Lézard des canyons de Presidio (m) [Presidio Canyon Lizard]
    *S. m. merriami* Stejneger, 1904 — Lézard des canyons de Merriam (m) [Merriam's Canyon Lizard]
  ***S. occidentalis*** Baird et Girard, 1852 — Lézard des palissades de l'Ouest (m) [Western Fence Lizard]
    *S. o. becki* Van Denburgh, 1905 — Lézard des palissades insulaire (m) [Island Fence Lizard]
    *S. o. biseriatus* Hallowell, 1854 — Lézard des palissades de San Joaquin (m) [San Joaquin Fence Lizard]

*S. o. bocourtii* Boulenger, 1885 — Lézard des palissades des montagnes côtières (m) [Coast Range Fence Lizard]
*S. o. longipes* Baird, 1859 "1858" — Lézard des palissades du Grand Bassin (m) [Great Basin Fence Lizard]
*S. o. occidentalis* Baird et Girard, 1852 — Lézard des palissades du Nord-Ouest (m) [Northwestern Fence Lizard]
*S. o. taylori* Camp, 1916 — Lézard des palissades de la Sierra (m) [Sierra Fence Lizard]
***S. olivaceus*** Smith, 1934 — Lézard épineux du Texas (m) [Texas Spiny Lizard]
***S. orcutti*** Stejneger, 1893 — Lézard épineux du granite (m) [Granite Spiny Lizard]
***S. poinsettii*** Baird et Girard, 1852 — Lézard épineux des crevasses (m) [Crevice Spiny Lizard]
*S. p. axtelli* Webb, 2006 — Lézard épineux des crevasses du Texas (m) [Texas Crevice Spiny Lizard]
*S. p. poinsettii* Baird et Girard, 1852 — Lézard épineux des crevasses du Nouveau-Mexique (m) [New Mexico Crevice Spiny Lizard]
***S. slevini*** Smith, 1937 — Lézard épineux des touffes (m) [Slevin's Bunchgrass Lizard]
***S. tristichus*** Cope dans Yarrow 1875 — Lézard des palissades des plateaux (m) [Plateau Fence Lizard]
***S. undulatus*** (Bosc et Daudin dans Sonnini et Latreille, 1801) — Lézard des palissades de l'Est (m) [Eastern Fence Lizard]
***S. uniformis*** Phelan et Brattstrom, 1955 — Lézard épineux à dos jaune (m) [Yellow-backed Spiny Lizard]
***S. variabilis*** Wiegmann, 1834 — Lézard à ventre rose (m) [Rose-bellied Lizard]
*S. v. marmoratus* Hallowell, 1852 — Lézard à ventre rose du Texas (m) [Texas Rose-bellied Lizard]
***S. virgatus*** Smith, 1938 — Lézard des plateaux rayé (m) [Striped Plateau Lizard]
***S. woodi*** Stejneger, 1918 — Lézard épineux des broussailles (m) [Florida Scrub Lizard]

***Scincella* Mittleman, 1950 — SCINQUES TERRESTRES (m)** [GROUND SKINKS]
***S. lateralis*** (Say dans James, 1823) — Scinque brun mineur (m) [Little Brown Skink]

***Sphaerodactylus* Wagler, 1830 — GECKOS NAINS (m)** [DWARF GECKOS]
***S. notatus*** Baird, 1859 "1858" — Gecko nain des récifs (m) [Reef Gecko]
*S. n. notatus* Baird, 1859 "1858" — Gecko des récifs de Floride (m) [Florida Reef Gecko]

***Uma* Baird, 1859 "1858" — LÉZARDS À ORTEILS FRANGÉS (m)** [FRINGE-TOED LIZARDS]
***U. inornata*** Cope, 1895 — Lézard à orteils frangés de Coachella (m) [Coachella Fringe-toed Lizard]

***U. notata*** Baird, 1859 "1858" — Lézard à orteils frangés du désert du Colorado (m) [ Colorado Desert Fringe-toed Lizard]
***U. rufopunctata*** Cope, 1895 — Lézard à orteils frangés de Yuma (m) [Yuman Fringe-toed Lizard ]
***U. scoparia*** Cope, 1894 — Lézard à orteils frangés du Mojave (m) [Mohave Fringe-toed Lizard]

***Urosaurus*** **Hallowell, 1854 — LÉZARDS ARBORICOLES ET DES BROUSSAILLES (m)** [TREE AND BRUSH LIZARDS]
***U. graciosus*** Hallowell, 1854 — Lézard des broussailles à longue queue (m) [Long-tailed Brush Lizard]
*U. g. graciosus* Hallowell, 1854 — Lézard des broussailles à longue queue de l'Ouest (m) [Western Long-tailed Brush Lizard]
*U. g. shannoni* Lowe, 1955 — Lézard des broussailles à longue queue d'Arizona (m) [Arizona Long-tailed Brush Lizard]
***U. nigricaudus*** (Cope, 1864) — Lézard des broussailles de Basse Californie (m) [Baja California Brush Lizard]
***U. ornatus*** (Baird et Girard, 1852) — Lézard arboricole orné (m) [Ornate Tree Lizard]
*U. o. levis* (Stejneger, 1890) — Lézard arboricole lisse (m) [Smooth Tree Lizard]
*U. o. ornatus* (Baird et Girard, 1852) — Lézard arboricole du Texas (m) [Texas Tree Lizard]
*U. o. schmidti* (Mittleman, 1940) — Lézard arboricole de Big Bend (m) [Big Bend Tree Lizard]
*U. o. schottii* (Baird, 1859 "1858") — Lézard arboricole de Schott (m) [Schott's Tree Lizard]
*U. o. symmetricus* (Baird, 1859 "1858") — Lézard arboricole du Colorado (m) [Colorado River Tree Lizard]
*U. o. wrighti* (Schmidt, 1921) — Lézard arboricole du Nord (m) [Northern Tree Lizard]

***Uta*** **Baird et Girard, 1852 — LÉZARDS À FLANCS TACHETÉS (m)** [SIDE-BLOTCHED LIZARDS]
***U. stansburiana*** Baird et Girard dans Stansbury 1852 — Lézard à flancs tachetés commun (m) [Common Side-blotched Lizard]
*U. s. elegans* Yarrow, 1882 — Lézard à flancs tachetés de l'Ouest (m) [Western Side-blotched Lizard]
*U. s. nevadensis* Ruthven, 1913 — Lézard à flancs tachetés du Nevada (m) [Nevada Side-blotched Lizard]
*U. s. stansburiana* Baird et Girard, 1852 — Lézard à flancs tachetés du Nord (m) [Northern Side-blotched Lizard]
*U. s. stejnegeri* Schmidt, 1921 — Lézard à flancs tachetés de l'Est (m) [Eastern Side-blotched Lizard]
*U. s. uniformis* Pack et Tanner, 1970 — Lézard à flancs tachetés des plateaux (m) [Plateau Side-blotched Lizard]

***Xantusia* Baird, 1859 "1858" — LÉZARDS NOCTURNES (m)** [NIGHT LIZARDS]

***X. arizonae*** Klauber, 1931 — Lézard nocturne d'Arizona (m) [Arizona Night Lizard]

***X. bezyi*** Papenfuss, Macey, et Schulte, 2001 — Lézard nocturne de Bezy (m) [Bezy's Night Lizard]

***X. gracilis*** Grismer et Galvan, 1986 — Lézard nocturne du grès (m) [Sandstone Night Lizard]

***X. henshawi*** Stejneger, 1893 — Lézard nocturne du granite (m) [Granite Night Lizard]

***X. riversiana*** Cope, 1883 — Lézard nocturne insulaire (m) [Island Night Lizard]

*X. r. reticulata* Smith, 1946 — Lézard nocturne de San Clemente (m) [San Clemente Night Lizard]

*X. r. riversiana* Cope, 1883 — Lézard nocturne de San Nicolas (m) [San Nicolas Night Lizard]

***X. sierrae*** Bezy, 1967 — Lézard nocturne de la Sierra (m) [Sierra Night Lizard]

***X. vigilis*** Baird, 1859 "1858" — Lézard nocturne du désert (m) [Desert Night Lizard]

***X. wigginsi*** Savage, 1952 — Lézard nocturne de Wiggins (m) [Wiggins' Night Lizard]

## Squamata – Serpents

***Agkistrodon* Palisot de Beauvois, 1799 — MOCASSINS (m)** [AMERICAN MOCCASINS]

**A. contortrix** (Linnaeus, 1766) — Mocassin à tête cuivrée (m) [Copperhead]

*A. c. contortrix* (Linnaeus, 1766) — Mocassin à tête cuivrée du Sud (m) [Southern Copperhead]

*A. c. laticinctus* Gloyd et Conant, 1934 — Mocassin à tête cuivrée à larges bandes (m) [Broad-banded Copperhead]

*A. c. mokasen* Palisot de Beauvois, 1799 — Mocassin à tête cuivrée du Nord (m) [Northern Copperhead]

*A. c. phaeogaster* Gloyd, 1969 — Mocassin à tête cuivrée à ventre sombre (m) [Osage Copperhead]

*A. c. pictigaster* Gloyd et Conant, 1943 — Mocassin à tête cuivrée de Trans-Pecos (m) [Trans-Pecos Copperhead]

**A. piscivorus** (Lacépède, 1789) — Mocassin d'eau (m) [Cottonmouth]

*A. p. conanti* Gloyd, 1969 — Mocassin d'eau de Floride (m) [Florida Cottonmouth]

*A. p. leucostoma* (Troost, 1836) — Mocassin d'eau de l'Ouest (m) [Western Cottonmouth]

*A. p. piscivorus* (Lacépède, 1789) — Mocassin d'eau de l'Est (m) [Eastern Cottonmouth]

***Arizona* Kennicott, *dans* Baird, 1859 — COULEUVRES LUSTRÉES (f)** [GLOSSY SNAKES]

**A. elegans** Kennicott, dans Baird, 1859 — Couleuvre lustrée (f) [Glossy Snake]

*A. e. arenicola* Dixon, 1960 — Couleuvre lustrée du Texas (f) [Texas Glossy Snake]

*A. e. candida* Klauber, 1946 — Couleuvre lustrée du Mojave (f) [Mohave Glossy Snake]

*A. e. eburnata* Klauber, 1946 — Couleuvre lustrée du désert (f) [Desert Glossy Snake]

*A. e. elegans* Kennicott, *dans* Baird, 1859 — Couleuvre lustrée du Kansas (f) [Kansas Glossy Snake]

*A. e. noctivaga* Klauber, 1946 — Couleuvre lustrée d'Arizona (f) [Arizona Glossy Snake]

*A. e. occidentalis* Blanchard, 1924 — Couleuvre lustrée de Californie (f) [California Glossy Snake]

*A. e. philipi* Klauber, 1946 — Couleuvre lustrée du désert peinte (f) [Painted Desert Glossy Snake]

***Bogertophis* Dowling et Price, 1988 — COULEUVRES RATIÈRES DU DÉSERT (f)** [DESERT RATSNAKES]

**B. rosaliae** (Mocquard, 1899) — Couleuvre ratière de Basse Californie (f) [Baja California Ratsnake]

**B. subocularis** (Brown, 1901) — Couleuvre ratière de Trans-Pecos (f) [Trans-Pecos Ratsnake]

*B. s. subocularis* (Brown, 1901) — Couleuvre ratière de Trans-Pecos du Nord (f) [Northern Trans-Pecos Ratsnake]

***Carphophis*** **Gervais, 1843 — COULEUVRES VERS D'AMÉRIQUE DU NORD (f)** [NORTH AMERICAN WORMSNAKES]

***C. amoenus*** (Say, 1825) — Couleuvre ver commune (f) [Common Wormsnake]

*C. a. amoenus* (Say, 1825) — Couleuvre ver de l'Est (f) [Eastern Wormsnake]

*C. a. helenae* (Kennicott, 1859) — Couleuvre ver du Centre (f) [Midwestern Wormsnake]

***C. vermis*** (Kennicott, 1859) — Couleuvre ver de l'Ouest (f) [Western Wormsnake]

***Cemophora*** **Cope, 1860 — COULEUVRES ÉCARLATES (f)** [SCARLETSNAKES]

***C. coccinea*** (Blumenbach, 1788) — Couleuvre écarlate (f) [Scarletsnake]

*C. c. coccinea* (Blumenbach, 1788) — Couleuvre écarlate de Floride (f) [Florida Scarletsnake]

*C. c. copei* Jan, 1863 — Couleuvre écarlate du Nord (f) [Northern Scarletsnake]

*C. c. lineri* Williams, Brown et Wilson, 1966 — Couleuvre écarlate du Texas (f) [Texas Scarletsnake]

***Charina*** **(Gray 1849) — BOAS CAOUTCHOUCS (m)** [RUBBER BOAS]

***C. bottae*** (Blainville, 1835) — Boa caoutchouc du Nord (m) [Northern Rubber Boa]

***C. umbratica*** Klauber, 1943 — Boa caoutchouc du Sud (m) [Southern Rubber Boa]

***Chilomeniscus*** **Cope, 1860 — COULEUVRES ARÉNICOLES (f)** [SANDSNAKES]

***C. stramineus*** Cope, 1860 — Couleuvre arénicole variable (f) [Variable Sandsnake]

***Chionactis*** **Cope, 1860 — COULEUVRES À NEZ SPATULÉ (f)** [SHOVEL-NOSED SNAKES]

***C. occipitalis*** (Hallowell, 1854) — Couleuvre à nez spatulé de l'Ouest (f) [Western Shovel-nosed Snake]

*C. o. annulata* (Baird, 1859 "1858") — Couleuvre à nez spatulé du Colorado (f) [Colorado Desert Shovel-nosed Snake]

*C. o. klauberi* (Stickel, 1941) — Couleuvre à nez spatulé de Tucson (f) [Tucson Shovel-nosed Snake]

*C. o. occipitalis* (Hallowell, 1854) — Couleuvre à nez spatulé du Mojave (f) [Mohave Shovel-nosed Snake]

*C. o. talpina* Klauber, 1951 — Couleuvre à nez spatulé du Nevada (f) [Nevada Shovel-nosed Snake]

***C. palarostris*** (Klauber, 1937) — Couleuvre à nez spatulé de Sonora (f) [Sonoran Shovel-nosed Snake]

*C. p. organica* Klauber, 1951 — Couleuvre à nez spatulé des cactus (f) [Organ Pipe Shovel-nosed Snake]

***Clonophis*** **Cope, 1889 — COULEUVRES DE KIRTLAND (f)** [KIRTLAND'S SNAKES]

***C. kirtlandii*** (Kennicott, 1856) — Couleuvre de Kirtland (f) [Kirtland's Snake]

***Coluber*** **Linnaeus, 1758 — COULEUVRES AGILES, COULEUVRES COCHERS ET COULEUVRES FOUETS (f)** [NORTH AMERICAN RACERS, COACHWHIPS AND WHIPSNAKES]

***C. bilineatus*** (Jan, 1863) — Couleuvre fouet de Sonora (f) [Sonoran Whipsnake]

***C. constrictor*** Linnaeus, 1758 — Couleuvre agile (f) [North American Racer]

*C. c. anthicus* (Cope, 1862) — Couleuvre agile nébuleuse (f) [Buttermilk Racer]

*C. c. constrictor* Linnaeus, 1758 — Couleuvre agile noire du Nord (f) [Northern Black Racer]

*C. c. etheridgei* Wilson, 1970 — Couleuvre agile fauve (f) [Tan Racer]

*C. c. flaviventris* Say, 1823 — Couleuvre agile à ventre jaune de l'Est (f) [Eastern Yellow-bellied Racer]

C. c. foxii (Baird et Girard, 1853) — Couleuvre agile bleue (f) [Blue Racer]

*C. c. helvigularis* Auffenberg, 1955 — Couleuvre agile à menton brun (f) [Brown-chinned Racer]

*C. c. latrunculus* Wilson, 1970 — Couleuvre agile masquée (f) [Black-masked Racer]

*C. c. mormon* Baird et Girard, 1852 — Couleuvre agile à ventre jaune de l'Ouest (f) [Western Yellow-bellied Racer]

*C. c. oaxaca* (Jan, 1863) — Couleuvre agile du Mexique (f) [Mexican Racer]

*C. c. paludicola* Auffenberg et Babbitt, 1953 — Couleuvre agile des Everglades (f) [Everglades Racer]

*C. c. priapus* Dunn et Wood, 1939 — Couleuvre agile noire du Sud (f) [Southern Black Racer]

***C. flagellum*** Shaw, 1802 — Couleuvre cocher (f) [Coachwhip]

*C. f. cingulum* (Lowe et Woodin, 1954) — Couleuvre cocher de Sonora (f) [Sonoran Coachwhip]

*C. f. flagellum* Shaw, 1802 — Couleuvre cocher de l'Est (f) [Eastern Coachwhip]

*C. f. lineatulus* (Smith, 1941) — Couleuvre cocher rayée (f) [Lined Coachwhip]

*C. f. piceus* (Cope, 1892) — Couleuvre cocher rouge (f) [Red Racer]

*C. f. ruddocki* (Brattstrom et Warren, 1953) — Couleuvre cocher de San Joaquin (f) [San Joaquin Coachwhip]

*C. f. testaceus* Say, *dans* James, 1823 — Couleuvre cocher de l'Ouest (f) [Western Coachwhip]

***C. fuliginosus*** (Cope, 1895) — Couleuvre cocher de Basse Californie (f) [Baja California Coachwhip]

***C. lateralis*** (Hallowell, 1853) — Couleuvre agile rayée (f) [Striped Racer]

*C. l. euryxanthus* (Riemer, 1954) — Couleuvre agile rayée d'Alameda (f) [Alameda Striped Racer]

*C. l. lateralis* (Hallowell, 1853) — Couleuvre agile rayée de Californie (f) [California Striped Racer]

***C. schotti*** (Baird et Girard, 1853) — Couleuvre fouet de Schott (f) [Schott's Whipsnake]

*C. s. ruthveni* (Ortenburger, 1923) — Couleuvre fouet de Ruthven (f) [Ruthven's Whipsnake]

*C. s. schotti* (Baird et Girard, 1853) — Couleuvre fouet de Schott (f) [Schott's Whipsnake]

***C. taeniatus*** (Hallowell, 1852) — Couleuvre fouet rayée (f) [Striped Whipsnake]

*C. t. girardi* (Stejneger et Barbour, 1917) — Couleuvre fouet rayée du Texas (f) [Central Texas Whipsnake]

*C. t. taeniatus* (Hallowell, 1852) — Couleuvre fouet rayée du désert (f) [Desert Striped Whipsnake]

***Coniophanes*** **Hallowell, 1860 — COULEUVRES À RAIES NOIRES (f)** [BLACK-STRIPED SNAKES]

***C. imperialis*** (Baird et Girard, 1859) — Couleuvre à raies noires royale (f) [Regal Black-striped Snake]

*C. i. imperialis* (Baird et Girard, 1859) — Couleuvre à raies noires de Tamaulipas (f) [Tamaulipan Black-striped Snake]

***Contia*** **Baird et Girard, 1853 — COULEUVRES À QUEUE POINTUE (f)** [SHARP-TAILED SNAKES]

***C. longicaudae*** Feldman et Hoyer, 2010 — Couleuvre à queue pointue forestière (f) [Forest Sharp-tailed Snake]

***C. tenuis*** (Baird et Girard, 1852) — Couleuvre à queue pointue commune (f) [Common Sharp-tailed Snake]

***Crotalus*** **Linnaeus, 1758 — CROTALES (m)** [RATTLESNAKES]

***C. adamanteus*** Palisot de Beauvois, 1799 — Crotale diamantin de l'Est (m) [Eastern Diamond-backed Rattlesnake]

***C. atrox*** Baird et Girard, 1853 — Crotale diamantin de l'Ouest (m) [Western Diamond-backed Rattlesnake]

***C. cerastes*** Hallowell, 1854 — Crotale arénicole (m) [Sidewinder]

*C. c. cerastes* Hallowell, 1854 — Crotale arénicole du Mojave (m) [Mohave Desert Sidewinder]

*C. c. cercobombus* Savage et Cliff, 1953 — Crotale arénicole de Sonora (m) [Sonoran Sidewinder]

*C. c. laterorepens* Klauber, 1944 — Crotale arénicole du Colorado (m) [Colorado Desert Sidewinder]

***C. cerberus*** (Coues, 1875) — Crotale noir d'Arizona (m) [Arizona Black Rattlesnake]

***C. horridus*** Linnaeus, 1758 — Crotale des bois (m) [Timber Rattlesnake]
***C. lepidus*** (Kennicott, 1861) — Crotale des rochers (m) [Rock Rattlesnake]
*C. l. klauberi* Gloyd, 1936 — Crotale des rochers à bandes (m) [Banded Rock Rattlesnake]
*C. l. lepidus* (Kennicott, 1861) — Crotale des rochers maculé (m) [Mottled Rock Rattlesnake]
***C. mitchellii*** (Cope, 1861) — Crotale moucheté (m) [Speckled Rattlesnake]
*C. m. pyrrhus* (Cope, 1867 "1866") — Crotale moucheté du Sud (m) [Southwestern Speckled Rattlesnake]
***C. molossus*** Baird et Girard, 1853 — Crotale à queue noire (m) [Black-tailed Rattlesnake]
*C. m. molossus* Baird et Girard, 1853 — Crotale à queue noire du Nord (m) [Northern Black-tailed Rattlesnake]
***C. oreganus*** Holbrook, 1840 — Crotale de l'Ouest (m) [Western Rattlesnake ]
*C. o. abyssus* Klauber, 1930 — Crotale du Grand Canyon (m) [Grand Canyon Rattlesnake]
*C. o. concolor* Woodbury, 1929 — Crotale à patron diffus (m) [Midget Faded Rattlesnake]
*C. o. helleri* Meek, 1905 — Crotale du Pacifique Sud (m) [Southern Pacific Rattlesnake]
*C. o. lutosus* Klauber, 1930 — Crotale du Grand Bassin (m) [Great Basin Rattlesnake]
*C. o. oreganus* Holbrook, 1840 — Crotale du Pacifique Nord (m) [Northern Pacific Rattlesnake]
***C. pricei*** Van Denburgh, 1895 — Crotale à points jumeaux (m) [Twin-spotted Rattlesnake]
*C. p. pricei* Van Denburgh, 1895 — Crotale à points jumeaux de l'Ouest (m) [Western Twin-spotted Rattlesnake]
***C. ruber*** Cope, 1892 — Crotale rouge (m) [Red Diamond Rattlesnake]
***C. scutulatus*** (Kennicott, 1861) — Crotale du Mojave (m) [Mohave Rattlesnake]
*C. s. scutulatus* (Kennicott, 1861) — Crotale du Mojave du Nord (m) [Northern Mohave Rattlesnake]
***C. stephensi*** Klauber, 1930 — Crotale des Panamints (m) [Panamint Rattlesnake]
***C. tigris*** Kennicott, dans Baird, 1859 — Crotale tigré (m) [Tiger Rattlesnake]
***C. viridis*** (Rafinesque, 1818) — Crotale des prairies (m) [Prairie Rattlesnake]
***C. willardi*** Meek, 1905 — Crotale à museau saillant (m) [Ridge-nosed Rattlesnake]
*C. w. obscurus* Harris et Simmons, 1976 — Crotale à museau saillant du Nouveau-Mexique (m) [New Mexico Ridge-nosed Rattlesnake]
*C. w. willardi* Meek, 1905 — Crotale à museau saillant d'Arizona (m) [Arizona Ridge-nosed Rattlesnake]

***Diadophis* Baird et Girard, 1853 — COULEUVRES À COLLIER (f)** [RING-NECKED SNAKES]

**D. punctatus** (Linnaeus, 1766) — Couleuvre à collier (f) [Ring-necked Snake]

*D. p. acricus* Paulson, 1968 — Couleuvre à collier des Keys (f) [Key Ring-necked Snake]

*D. p. amabilis* Baird et Girard, 1853 — Couleuvre à collier du Pacifique (f) [Pacific Ring-necked Snake]

*D. p. arnyi* Kennicott, 1859 — Couleuvre à collier des prairies (f) [Prairie Ring-necked Snake]

*D. p. edwardsii* (Merrem, 1820) — Couleuvre à collier du Nord (f) [Northern Ring-necked Snake]

*D. p. modestus* Bocourt, 1886 — Couleuvre à collier de San Bernardino (f) [San Bernardino Ring-necked Snake]

*D. p. occidentalis* Blanchard, 1923 — Couleuvre à collier de l'Ouest (f) [Northwestern Ring-necked Snake]

*D. p. pulchellus* Baird et Girard, 1853 — Couleuvre à collier à ventre corail (f) [Coral-bellied Ring-necked Snake]

*D. p. punctatus* (Linnaeus, 1766) — Couleuvre à collier du Sud (f) [Southern Ring-necked Snake]

*D. p. regalis* Baird et Girard, 1853 — Couleuvre à collier royale (f) [Regal Ring-necked Snake]

*D. p. similis* Blanchard, 1923 — Couleuvre à collier de San Diego (f) [San Diego Ring-necked Snake]

*D. p. stictogenys* Cope, 1860 — Couleuvre à collier du Mississippi (f) [Mississippi Ring-necked Snake]

*D. p. vandenburghi* Blanchard, 1923 — Couleuvre à collier de Monterrey (f) [Monterey Ring-necked Snake]

***Drymarchon* Fitzinger, 1843 — COULEUVRES INDIGOS (f)** [INDIGO SNAKES]

**D. couperi** (Holbrook, 1842) — Couleuvre indigo de l'Est (f) [Eastern Indigo Snake]

**D. melanurus** (Duméril, Bibron, et Duméril, 1854) — Couleuvre indigo d'Amérique Centrale (f) [Central American Indigo Snake]

*D. m. erebennus* (Cope, 1860) — Couleuvre indigo du Texas (f) [Texas Indigo Snake]

***Drymobius* Fitzinger, 1843 — COULEUVRES COUREUSES (f)** [NEOTROPICAL RACERS]

**D. margaritiferus** (Schlegel, 1837) — Couleuvre coureuse mouchetée (f) [Speckled Racer]

*D. m. margaritiferus* (Schlegel, 1837) — Couleuvre coureuse mouchetée du Nord (f) [Northern Speckled Racer]

***Farancia* Gray, 1842 — COULEUVRES BOURBEUSES ET COULEUVRES ARCS-EN-CIEL (f)** [MUDSNAKES AND RAINBOW SNAKES]

**F. abacura** (Holbrook, 1836) — Couleuvre bourbeuse (f) [Red-bellied Mudsnake]

*F. a. abacura* (Holbrook, 1836) — Couleuvre bourbeuse de l'Est (f) [Eastern Mudsnake]

*F. a. reinwardtii* Schlegel, 1837 — Couleuvre bourbeuse de l'Ouest (f) [Western Mudsnake]

***F. erytrogramma*** (Palisot de Beauvois dans Sonnini et Latreille, 1801) — Couleuvre arc-en-ciel (f) [Rainbow Snake]

*F. e. erytrogramma* (Palisot de Beauvois *dans* Sonnini et Latreille, 1801) — Couleuvre arc-en-ciel commune (f) [Common Rainbow Snake]

*F. e. seminola* Neill, 1964 — Couleuvre arc-en-ciel du sud de la Floride (f) [Southern Florida Rainbow Snake]

***Ficimia* Gray, 1849 — COULEUVRES À NEZ CROCHU DE L'EST (f)** [EASTERN HOOK-NOSED SNAKES]

***F. streckeri*** Taylor, 1931 — Couleuvres à nez crochu de Tamaulipas (f) [Tamaulipan Hook-nosed Snake]

***Gyalopion* Cope, 1861 — COULEUVRES À NEZ CROCHU DE L'OUEST (f)** [WESTERN HOOK-NOSED SNAKES]

***G. canum*** Cope, 1861 "1860" — Couleuvre à nez crochu de Chihuahua (f) [Chihuahuan Hook-nosed Snake]

***G. quadrangulare*** (Günther, 1893 dans Salvin et Godman, 1885-1902) — Couleuvre à nez crochu du désert (f) [Thornscrub Hook-nosed Snake]

***Heterodon* Latreille, 1801 — COULEUVRES À GROIN D'AMÉRIQUE DU NORD (f)** [NORTH AMERICAN HOG-NOSED SNAKES]

***H. gloydi*** Edgren, 1952 — Couleuvre à groin poussiéreuse (f) [Dusty Hog-nosed Snake]

***H. kennerlyi*** Kennicott, 1860 — Couleuvre à groin du Mexique (f) [Mexican Hog-nosed Snake]

***H. nasicus*** Baird et Girard, 1852 — Couleuvre à groin des plaines (f) [Plains Hog-nosed Snake]

***H. platirhinos*** Latreille, 1801 — Couleuvre à groin de l'Est (f) [Eastern Hog-nosed Snake]

***H. simus*** (Linnaeus, 1766) — Couleuvre à groin du Sud (f) [Southern Hog-nosed Snake]

***Hypsiglena* Cope, 1860 — COULEUVRES NOCTURNES D'AMÉRIQUE DU NORD (f)** [NORTH AMERICAN NIGHTSNAKES]

***H. chlorophaea*** Cope, 1860 — Couleuvre nocturne du désert (f) [Desert Nightsnake]

*H. c. deserticola* (Tanner, 1944) — Couleuvre nocturne du Nord (f) [Northern Desert Nightsnake]

*H. c. loreala* (Tanner, 1944) — Couleuvre nocturne de Mesa Verde (f) [Mesa Verde Nightsnake]

*H. c. chlorophaea* Cope, 1860 — Couleuvre nocturne de Sonora (f) [Sonoran Nightsnake]

***H. jani*** (Duges, 1866) — Couleuvre nocturne de Chihuahua (f) [Chihuahuan Nightsnake]

*H. j. texana* (Stejneger, 1893) — Couleuvre nocturne du Texas (f) [Texas Nightsnake]

***H. ochrorhyncha*** Cope, 1860 — Couleuvre nocturne côtière (f) [Coast Nightsnake]

*H. o. nuchalata* (Tanner, 1943) — Couleuvre nocturne de Californie (f) [California Nightsnake]

*H. o. klauberi* Tanner, 1944 — Couleuvre nocturne de San Diego (f) [San Diego Nightsnake]

***Lampropeltis*** **Fitzinger, 1843 — COULEUVRES ROYALES (f)** [KINGSNAKES]

***L. alterna*** (Brown, 1901) — Couleuvre royale grise à bandes (f) [Gray-banded Kingsnake]

***L. californiae*** (Blainville, 1835) — Couleuvre royale de Californie (f) [California Kingsnake ]

***L. calligaster*** (Harlan, 1827) — Couleuvre royale à ventre jaune (f) [ Yellow-bellied Kingsnake ]

*L. c. calligaster* (Harlan, 1827) — Couleuvre royale des prairies (f) [Prairie Kingsnake]

*L. c. occipitolineata* Price, 1987 — Couleuvre royale taupe de Floride (f) [South Florida Mole Kingsnake]

*L. c. rhombomaculata* (Holbrook, 1840) — Couleuvre royale taupe (f) [Mole Kingsnake]

***L. elapsoides*** (Holbrook, 1838) — Couleuvre royale écarlate (f) [Scarlet Kingsnake]

***L. extenuata*** (Brown, 1890) — Couleuvre royale à queue courte (f) [Short-tailed Kingsnake]

***L. getula*** (Linnaeus, 1766) — Couleuvre royale de l'Est (f) [Eastern Kingsnake]

***L. holbrooki*** Stejneger, 1903 — Couleuvre royale mouchetée (f) [Speckled Kingsnake]

***L. knoblochi*** Taylor, 1940 — Couleuvre royale des montagnes de Knobloch [Knobloch's Mountain Kingsnake]

***L. nigra*** (Yarrow, 1882) — Couleuvre royale noire (f) [Eastern Black Kingsnake]

***L. pyromelana*** (Cope, 1867) — Couleuvre royale de la montagne Pyro (f) [Pyro Mountain Kingsnake]

*L. p. infralabialis* Tanner, 1953 — Couleuvre royale des montagnes d'Utah (f) [Utah Mountain Kingsnake]

*L. p. pyromelana* (Cope, 1867) — Couleuvre royale des montagnes d'Arizona (f) [Arizona Mountain Kingsnake]

***L. splendida*** (Baird et Girard, 1853) — Couleuvre royale du désert (f) [Desert Kingsnake]

***L. triangulum*** (Lacépède, 1789) — Couleuvre annelée (f) [Milksnake]

*L. t. amaura* Cope, 1860 — Couleuvre annelée de Louisiane (f) [Louisiana Milksnake]

*L. t. annulata* Kennicott, 1860 — Couleuvre annelée du Mexique (f) [Mexican Milksnake]

*L. t. celaenops* Stejneger, 1903 — Couleuvre annelée du Nouveau-Mexique (f) [New Mexico Milksnake]
*L. t. gentilis* (Baird et Girard, 1853) — Couleuvre annelée des Plaines Centrales (f) [Central Plains Milksnake]
*L. t. multistriata* Kennicott, 1860 — Couleuvre annelée pâle (f) [Pale Milksnake]
*L. t. syspila* (Cope, 1888) — Couleuvre annelée scellée (f) [Red Milksnake]
*L. t. taylori* Tanner et Loomis, 1957 — Couleuvre annelée d'Utah (f) [Utah Milksnake]
*L. t. triangulum* (Lacépède, 1789) — Couleuvre tachetée (f) [Eastern Milksnake]
***L. zonata*** (Lockington ex Blainville, 1876) — Couleuvre royale des montagnes de Californie (f) [California Mountain Kingsnake]

***Leptodeira*** **Fitzinger, 1843 — COULEUVRES OEIL-DE-CHAT (f)** [CAT-EYED SNAKES]
***L. septentrionalis*** (Kennicott, dans Baird, 1859) — Couleuvre oeil-de-chat (f) [Cat-eyed Snake]

***Lichanura*** **Cope, 1861 — BOAS RAYÉS (m)** [ROSY BOAS]
***L. orcutti*** (Stejneger 1889) — Boa à trois lignes (m) [Northern Three-lined Boa]
***L. trivirgata*** (Cope, 1861) — Boa rayé rose (m) [Rosy Boa]

***Micruroides*** **Schmidt, 1928 — SERPENTS CORAIL DE SONORA (m)** [SONORAN CORALSNAKES]
***M. euryxanthus*** (Kennicott, 1860) — Serpent corail de Sonora (m) [Sonoran Coralsnake]
*M. e. euryxanthus* (Kennicott, 1860) — Serpent corail d'Arizona (m) [Arizona Coralsnake]

***Micrurus*** **Wagler, 1824 — SERPENTS CORAIL D'AMÉRIQUE (m)** [AMERICAN CORALSNAKES]
***M. fulvius*** (Linnaeus, 1766) — Serpent corail arlequin (m) [Harlequin Coralsnake]
***M. tener*** (Baird et Girard, 1853) — Serpent corail du Texas (m) [Texas Coralsnake]
*M. t. tener* (Baird et Girard, 1853) — Serpent corail de la côte du Texas (m) [Texas Gulf-Coast Coralsnake]

***Nerodia*** **Baird et Girard, 1853 — COULEUVRES D'EAU D'AMÉRIQUE DU NORD (f)** [NORTH AMERICAN WATERSNAKES]
***N. clarkii*** (Baird et Girard, 1853) — Couleuvre d'eau saumâtre (f) [Saltmarsh Watersnake]
*N. c. clarkii* (Baird et Girard, 1853) — Couleuvre d'eau saumâtre du Golfe (f) [Gulf Saltmarsh Watersnake]
*N. c. compressicauda* Kennicott, 1860 — Couleuvre d'eau saumâtre des mangroves (f) [Mangrove Saltmarsh Watersnake]

*N. c. taeniata* (Cope, 1895) — Couleuvre d'eau saumâtre d'Atlantique (f) [Atlantic Saltmarsh Watersnake]

***N. cyclopion*** (Duméril, Bibron et Duméril, 1854) — Couleuvre d'eau verte du Mississippi (f) [Mississippi Green Watersnake]

***N. erythrogaster*** (Forster, 1771) — Couleuvre d'eau à ventre uni (f) [Plain-bellied Watersnake]

***N. fasciata*** (Linnaeus, 1766) — Couleuvre d'eau du Sud (f) [Southern Watersnake]

*N. f. confluens* (Blanchard, 1923) — Couleuvre d'eau à larges bandes (f) [Broad-banded Watersnake]

*N. f. fasciata* (Linnaeus, 1766) — Couleuvre d'eau à bandes (f) [Banded Watersnake]

*N. f. pictiventris* (Cope, 1895) — Couleuvre d'eau de Floride (f) [Florida Watersnake]

***N. floridana*** (Goff, 1936) — Couleuvre d'eau verte de Floride (f) [Florida Green Watersnake]

***N. harteri*** (Trapido, 1941) — Couleuvre d'eau de la rivière Brazos (f) [Brazos River Watersnake]

***N. paucimaculata*** (Tinkle et Conant, 1961) — Couleuvre d'eau de Concho (f) [Concho Watersnake]

***N. rhombifer*** (Hallowell, 1852) — Couleuvre d'eau diamantine (f) [Diamond-backed Watersnake]

*N. r. rhombifer* (Hallowell, 1852) — Couleuvre d'eau diamantine du Nord (f) [Northern Diamond-backed Watersnake]

***N. sipedon*** (Linnaeus, 1758) — Couleuvre d'eau commune (f) [Common Watersnake]

*N. s. insularum* (Conant et Clay, 1937) — Couleuvre d'eau du lac Érié (f) [Lake Erie Watersnake]

*N. s. pleuralis* (Cope, 1892) — Couleuvre d'eau du Centre (f) [Midland Watersnake]

*N. s. sipedon* (Linnaeus, 1758) — Couleuvre d'eau du Nord (f) [Northern Watersnake]

*N. s. williamengelsi* (Conant et Lazell, 1973) — Couleuvre d'eau de Caroline (f) [Carolina Watersnake]

***N. taxispilota*** (Holbrook, 1838) — Couleuvre d'eau brune (f) [Brown Watersnake]

***Opheodrys* Fitzinger, 1843 — COULEUVRES VERTES (f)** [GREENSNAKES]

***O. aestivus*** (Linnaeus, 1766) — Couleuvre verte carénée (f) [Rough Greensnake]

*O. a. aestivus* (Linnaeus, 1766) — Couleuvre verte carénée du Nord (f) [Northern Rough Greensnake]

*O. a. carinatus* Grobman, 1984 — Couleuvre verte carénée de Floride (f) [Florida Rough Greensnake]

***O. vernalis*** (Harlan, 1827) — Couleuvre verte lisse (f) [Smooth Greensnake]

***Oxybelis* Wagler, 1830 — COULEUVRES VIGNE D'AMÉRIQUE (f)** [AMERICAN VINESNAKES]

***O. aeneus*** (Wagler, 1824) — Couleuvre vigne brune (f) [Brown Vinesnake]

***Pantherophis* Fitzinger, 1843 — COULEUVRES RATIÈRES D'AMÉRIQUE DU NORD (f)** [NORTH AMERICAN RATSNAKES]

***P. alleghaniensis*** (Holbrook, 1836) — Couleuvre ratière de l'Est (f) [Eastern Ratsnake]

***P. bairdi*** (Yarrow, dans Cope, 1880) — Couleuvre ratière de Baird (f) [Baird's Ratsnake]

***P. emoryi*** (Baird et Girard, 1853) — Couleuvre ratière des Grandes Plaines (f) [Great Plains Ratsnake]

***P. guttatus*** (Linnaeus, 1766) — Couleuvre ratière rouge (f) [Red Cornsnake]

***P. obsoletus*** (Say, 1823) — Couleuvre ratière de l'Ouest (f) [Western Ratsnake]

***P. ramspotti*** Crother, White, Savage, Eckstut, Graham and Gardner, 2011— Couleuvre fauve de l'Ouest (f) [Western Foxsnake]

***P. slowinskii*** Burbrink, 2002 — Couleuvre ratière de Slowinski (f) [Slowinski's Cornsnake]

***P. spiloides*** (Duméril, Bibron et Duméril, 1854) — Couleuvre ratière grise (f) [Gray Ratsnake]

***P. vulpinus*** (Baird et Girard, 1853) — Couleuvre fauve de l'Est (f) [Eastern Foxsnake]

***Pelamis* Daudin, 1803 — SERPENTS MARINS À VENTRE JAUNE (m)** [YELLOW-BELLIED SEASNAKES]

***P. platurus*** (Linnaeus, 1766) — Serpent marin à ventre jaune (m) [Yellow-bellied Seasnake]

***Phyllorhynchus* Stejneger, 1890 — COULEUVRES À NEZ FOLIACÉ (F)** [LEAF-NOSED SNAKES]

***P. browni*** Stejneger, 1890 — Couleuvre à nez foliacé à scelle (f) [Saddled Leaf-nosed Snake]

***P. decurtatus*** (Cope, 1868) — Couleuvre à nez foliacé tachetée (f) [Spotted Leaf-nosed Snake]

***Pituophis* Holbrook, 1842 — COULEUVRES DES PINÈDES et COULEUVRES GAUFRES (f)** [BULLSNAKES, PINESNAKES and GOPHER SNAKES]

***P. catenifer*** (Blainville, 1835) — Couleuvre gaufre (f) [Gopher Snake]

*P. c. affinis* (Hallowell, 1852) — Couleuvre gaufre de Sonora (f) [Sonoran Gopher Snake]

*P. c. annectens* Baird et Girard, 1853 — Couleuvre gaufre de San Diego (f) [San Diego Gopher Snake]

*P. c. catenifer* (Blainville, 1835) — Couleuvre gaufre du Pacifique (f) [Pacific Gopher Snake]

*P. c. deserticola* Stejneger, 1893 — Couleuvre gaufre du Grand Bassin (f) [Great Basin Gopher Snake]

*P. c. pumilus* Klauber, 1946 — Couleuvre gaufre d'île de Santa Cruz (f) [Santa Cruz Island Gopher Snake]
*P. c. sayi* (Schlegel, 1837) — Couleuvre gaufre de Say (f) [Bullsnake]
***P. melanoleucus*** (Daudin, 1803) — Couleuvre des pinèdes (f) [Pinesnake]
*P. m. lodingi* Blanchard, 1924 — Couleuvre des pinèdes noire (f) [Black Pinesnake]
*P. m. melanoleucus* (Daudin, 1803) — Couleuvre des pinèdes du Nord (f) [Northern Pinesnake]
*P. m. mugitus* Barbour, 1921 — Couleuvre des pinèdes de Floride (f) [Florida Pinesnake]
***P. ruthveni*** Stull, 1929 — Couleuvre des pinèdes de Louisiane (f) [Louisiana Pinesnake]

***Regina*** **Baird et Girard, 1853 — COULEUVRES ÉCREVISSES (f)** [CRAYFISH SNAKES]
***R. alleni*** (Garman, 1874) — Couleuvre écrevisse rayée (f) [Striped Crayfish Snake]
***R. grahamii*** Baird et Girard, 1853 — Couleuvre écrevisse de Graham (f) [Graham's Crayfish Snake]
***R. rigida*** (Say, 1825) — Couleuvre écrevisse lustrée (f) [Glossy Crayfish Snake]
*R. r. deltae* (Huheey, 1959) — Couleuvre écrevisse du Delta (f) [Delta Crayfish Snake]
*R. r. rigida* (Say, 1825) — Couleuvre écrevisse lustrée (f) [Glossy Crayfish Snake]
*R. r. sinicola* (Huheey, 1959) — Couleuvre écrevisse du Golfe (f) [Gulf Crayfish Snake]
***R. septemvittata*** (Say, 1825) — Couleuvre souveraine (f) [Queensnake]

***Rena*** **Baird et Girard, 1853 — SERPENTS FILIFORMES (m)** [THREADSNAKES]
***R. dissectus*** (Cope, 1896) — Serpent filiforme du Nouveau-Mexique (m) [New Mexico Threadsnake]
***R. dulcis*** (Baird et Girard, 1853) — Serpent filiforme du Texas (m) [Texas Threadsnake]
*R. d. dulcis* (Baird et Girard, 1853) — Serpent filiforme des plaines (m) [Plains Threadsnake]
*R. d. rubellum* (Garman, 1884) — Serpent filiforme du Texas du Sud (m) [South Texas Threadsnake]
***R. humilis*** (Baird et Girard, 1853) — Serpent filiforme de l'Ouest (m) [Western Threadsnake]
*R. h. cahuilae* Klauber, 1931 — Serpent filiforme du désert (m) [Desert Threadsnake]
*R. h. humilis* (Baird et Girard, 1853) — Serpent filiforme de Sonora (m) [Southwestern Threadsnake]
*R. h. segregus* Klauber, 1939 — Serpent filiforme de Trans-Pecos (m) [Trans-Pecos Threadsnake]
*R. h. utahensis* Tanner, 1938 — Serpent filiforme d'Utah (m) [Utah Threadsnake]

***Rhadinaea*** **Cope, 1863 — COULEUVRES LITIÈRES (f)** [LITTERSNAKES]

***R. flavilata*** (Cope, 1871) — Couleuvre litière des pins (f) [Pine Woods Littersnake]

***Rhinocheilus*** **Baird et Girard, 1853 — COULEUVRES À LONG NEZ (f)** [LONG-NOSED SNAKES]

***R. lecontei*** Baird et Girard, 1853 — Couleuvre à long nez (f) [Long-nosed Snake]

***Salvadora*** **Baird et Girard, 1853 — COULEUVRES À NEZ PLAQUÉ (f)** [PATCH-NOSED SNAKES]

***S. grahamiae*** Baird et Girard, 1853 — Couleuvre à nez plaqué de l'Est (f) [Eastern Patch-nosed Snake]

*S. g. grahamiae* Baird et Girard, 1853 — Couleuvre à nez plaqué des montagnes (f) [Mountain Patch-nosed Snake]

*S. g. lineata* Schmidt, 1940 — Couleuvre à nez plaqué du Texas (f) [Texas Patch-nosed Snake]

***S. hexalepis*** (Cope, 1866) — Couleuvre à nez plaqué de l'Ouest (f) [Western Patch-nosed Snake]

*S. h. deserticola* Schmidt, 1940 — Couleuvre à nez plaqué de Big Bend (f) [Big Bend Patch-nosed Snake]

*S. h. hexalepis* (Cope, 1866) — Couleuvre à nez plaqué du désert (f) [Desert Patch-nosed Snake]

*S. h. mojavensis* Bogert, 1945 — Couleuvre à nez plaqué du Mojave (f) [Mohave Patch-nosed Snake]

*S. h. virgultea* Bogert, 1935 — Couleuvre à nez plaqué côtière (f) [Coast Patch-nosed Snake]

***Seminatrix*** **Cope, 1895 — COULEUVRES DES MARAIS NOIRES (f)** [BLACK SWAMPSNAKES]

***S. pygaea*** (Cope, 1871) — Couleuvre des marais noire (f) [Black Swampsnake]

*S. p. cyclas* Dowling, 1950 — Couleuvre des marais du sud de la Floride (f) [Southern Florida Swampsnake]

*S. p. paludis* Dowling, 1950 — Couleuvre des marais de Caroline (f) [Carolina Swampsnake]

*S. p. pygaea* (Cope, 1871) — Couleuvre des marais du nord de la Floride (f) [Northern Florida Swampsnake]

***Senticolis*** **Dowling et Fries, 1987 — COULEUVRES RATIÈRES VERTES (f)** [GREEN RATSNAKES]

***S. triaspis*** (Cope, 1866) — Couleuvre ratière verte (f) [Green Ratsnake]

*S. t. intermedia* (Boettger, 1883) — Couleuvre ratière verte du Nord (f) [Northern Green Ratsnake]

***Sistrurus*** **Garman, 1883 — MASSASAUGAS (m)** [MASSASAUGAS AND PYGMY RATTLESNAKES]

***S. catenatus*** (Rafinesque, 1818) — Massasauga (m) [Massasauga]

*S. c. catenatus* (Rafinesque, 1818) — Massasauga de l'Est (m) [Eastern Massasauga]

*S. c. edwardsii* (Baird et Girard, 1853) — Massasauga du désert (m) [Desert Massasauga]
*S. c. tergeminus* (Say, 1823) — Massasauga de l'Ouest (m) [Western Massasauga]
***S. miliarius*** (Linnaeus, 1766) — Massasauga pygmé (m) [Pygmy Rattlesnake]
*S. m. barbouri* Gloyd, 1935 — Massasauga pygmé sombre (m) [Dusky Pygmy Rattlesnake]
*S. m. miliarius* (Linnaeus, 1766) — Massasauga pygmé de Caroline (m) [Carolina Pygmy Rattlesnake]
*S. m. streckeri* Gloyd, 1935 — Massasauga pygmé de l'Ouest (m) [Western Pygmy Rattlesnake]

***Sonora* Baird et Girard, 1853 — COULEUVRES DE TERRE D'AMÉRIQUE DU NORD (f)** [NORTH AMERICAN GROUNDSNAKES]
***S. semiannulata*** Baird et Girard, 1853 — Couleuvre de terre de l'Ouest (f) [Western Groundsnake]
*S. s. semiannulata* Baird et Girard, 1853 — Couleuvre de terre variable (f) [Variable Groundsnake]
*S. s. taylori* (Boulenger, 1894) — Couleuvre de terre du Sud du Texas (f) [Southern Texas Groundsnake]

***Storeria* Baird et Girard, 1853 — COULEUVRES BRUNES D'AMÉRIQUE DU NORD (f)** [NORTH AMERICAN BROWNSNAKES]
***S. dekayi*** (Holbrook, 1836) — Couleuvre brune de Dekay (f) [Dekay's Brownsnake]
*S. d. dekayi* (Holbrook, 1836) — Couleuvre brune du Nord (f) [Northern Brownsnake]
*S. d. limnetes* Anderson, 1961 — Couleuvre brune à lèvre immaculée (f) [Marsh Brownsnake]
*S. d. texana* Trapido, 1944 — Couleuvre brune du Texas (f) [Texas Brownsnake]
*S. d. wrightorum* Trapido, 1944 — Couleuvre brune du Centre (f) [Midland Brownsnake]
***S. occipitomaculata*** (Storer, 1839) — Couleuvre à ventre rouge (f) [Red-bellied Snake]
*S. o. obscura* Trapido, 1944 — Couleuvre à ventre rouge de Floride (f) [Florida Red-bellied Snake]
*S. o. occipitomaculata* (Storer, 1839) — Couleuvre à ventre rouge du Nord (f) [Northern Red-bellied Snake]
*S. o. pahasapae* Smith, 1963 — Couleuvre à ventre rouge des Black Hills (f) [Black Hills Red-bellied Snake]
***S. victa*** Hay, 1892 — Couleuvre brune de Floride (f) [Florida Brownsnake]

***Tantilla* Baird et Girard, 1853 — COULEUVRES À TÊTE NOIRE, COULEUVRES COURONNÉES et COULEUVRES À TÊTE PLATE (f)** [BLACK-HEADED SNAKES, CROWNED SNAKES and FLAT-HEADED SNAKES]

***T. atriceps*** (Günther, 1895 dans Salvin et Godman, 1885-1902) — Couleuvre à tête noire du Mexique (f) [Mexican Black-headed Snake]
***T. coronata*** Baird et Girard, 1853 — Couleuvre couronnée du Sud-Est (f) [Southeastern Crowned Snake]
***T. cucullata*** Minton, 1956 — Couleuvre à tête noire de Trans-Pecos (f) [Trans-Pecos Black-headed Snake]
***T. gracilis*** Baird et Girard, 1853 — Couleuvre à tête plate (f) [Flat-headed Snake]
***T. hobartsmithi*** Taylor, 1937 — Couleuvre à tête noire de Smith (f) [Smith's Black-headed Snake]
***T. nigriceps*** Kennicott, 1860 — Couleuvre à tête noire des plaines (f) [Plains Black-headed Snake]
***T. oolitica*** Telford, 1966 — Couleuvre couronnée de Rim Rock (f) [Rim Rock Crowned Snake]
***T. planiceps*** (Blainville, 1835) — Couleuvre à tête noire de l'Ouest (f) [Western Black-headed Snake]
***T. relicta*** Telford, 1966 — Couleuvre couronnée de Floride (f) [Florida Crowned Snake]
*T. r. neilli* Telford, 1966 — Couleuvre couronnée de Floride centrale (f) [Central Florida Crowned Snake]
*T. r. pamlica* Telford, 1966 — Couleuvre couronnée des dunes côtières (f) [Coastal Dunes Crowned Snake]
*T. r. relicta* Telford, 1966 — Couleuvre couronnée de la péninsule (f) [Peninsula Crowned Snake]
***T. wilcoxi*** Stejneger, 1903 — Couleuvre à tête noire de Chihuahua (f) [Chihuahuan Black-headed Snake]
***T. yaquia*** Smith, 1942 — Couleuvre à tête noire des Yaquis (f) [Yaqui Black-headed Snake]

***Thamnophis* Fitzinger, 1843 — COULEUVRES RAYÉES D'AMÉRIQUE DU NORD (f)** [NORTH AMERICAN GARTERSNAKES]
***T. atratus*** (Kennicott, 1860) — Couleuvre rayée aquatique (f) [Aquatic Gartersnake]
*T. a. atratus* (Kennicott, 1860) — Couleuvre rayée de Santa Cruz (f) [Santa Cruz Gartersnake]
*T. a. hydrophilus* Fitch, 1936 — Couleuvre rayée d'Oregon (f) [Oregon Gartersnake]
*T. a. zaxanthus* Boundy, 1999 — Couleuvres rayée des Diablos (f) [Diablo Range Gartersnake]
***T. brachystoma*** (Cope, 1892) — Couleuvre rayée à tête courte (f) [Short-headed Gartersnake]
***T. butleri*** (Cope, 1889) — Couleuvre rayée de Butler (f) [Butler's Gartersnake]
***T. couchii*** (Kennicott, 1859) — Couleuvre rayée de la Sierra (f) [Sierra Gartersnake]
***T. cyrtopsis*** (Kennicott, 1860) — Couleuvre rayée à cou noir (f) [Black-necked Gartersnake]
*T. c. cyrtopsis* (Kennicott, 1860) — Couleuvre rayée à cou noir de l'Ouest (f) [Western Black-necked Gartersnake]

*T. c. ocellatus* (Cope, 1880) — Couleuvre rayée à cou noir de l'Est (f) [Eastern Black-necked Gartersnake]

***T. elegans*** (Baird et Girard, 1853) — Couleuvre rayée terrestre (f) [Terrestrial Gartersnake]

*T. e. elegans* (Baird et Girard, 1853) — Couleuvre rayée des montagnes (f) [Mountain Gartersnake]

*T. e. terrestris* Fox, 1951 — Couleuvre rayée côtière (f) [Coast Gartersnake]

*T. e. vagrans* (Baird et Girard, 1853) — Couleuvre rayée errante (f) [Wandering Gartersnake]

***T. eques*** (Reuss, 1834) — Couleuvre rayée du Mexique (f) [ Mexican Gartersnake ]

*T. e. megalops* (Kennicott, 1860) — Couleuvre rayée brune (f) [Brown Gartersnake ]

***T. gigas*** Fitch, 1940 — Couleuvre rayée géante (f) [Giant Gartersnake]

***T. hammondii*** (Kennicott, 1860) — Couleuvre rayée à deux rayures (f) [Two-striped Gartersnake]

***T. marcianus*** (Baird et Girard, 1853) — Couleuvre rayée à damier (f) [Checkered Gartersnake]

*T. m. marcianus* (Baird et Girard, 1853) — Couleuvre rayée de Marcy (f) [Marcy's Checkered Gartersnake]

***T. ordinoides*** (Baird et Girard, 1852) — Couleuvre rayée du Nord-Ouest (f) [Northwestern Gartersnake]

***T. proximus*** (Say, 1823) — Couleuvre mince de l'Ouest (f) [Western Ribbonsnake]

*T. p. diabolicus* Rossman, 1963 — Couleuvre mince des terres arides (f) [Arid Land Ribbonsnake]

*T. p. orarius* Rossman, 1963 — Couleuvre mince du Golfe (f) [Gulf Coast Ribbonsnake]

*T. p. proximus* (Say, 1823) — Couleuvre mince à rayures oranges (f) [Orange-striped Ribbonsnake]

*T. p. rubrilineatus* Rossman, 1963 — Couleuvre mince à rayures rouges (f) [Red-striped Ribbonsnake]

***T. radix*** (Baird et Girard, 1853) — Couleuvre rayée des plaines (f) [Plains Gartersnake]

***T. rufipunctatus*** (Cope, 1875) — Couleuvre rayée à tête étroite (f) [Narrow-headed Gartersnake]

***T. sauritus*** (Linnaeus, 1766) — Couleuvre mince de l'Est (f) [Eastern Ribbonsnake]

*T. s. nitae* Rossman, 1963 — Couleuvre mince à rayures bleues (f) [Blue-striped Ribbonsnake]

*T. s. sackenii* (Kennicott, 1859) — Couleuvre mince du Sud (f) [Peninsula Ribbonsnake]

*T. s. sauritus* (Linnaeus, 1766) — Couleuvre mince commune (f) [Common Ribbonsnake]

*T. s. septentrionalis* Rossman, 1963 — Couleuvre mince du Nord (f) [Northern Ribbonsnake]

***T. sirtalis*** (Linnaeus, 1758) — Couleuvre rayée commune (f) [Common Gartersnake]

*T. s. annectens* Brown, 1950 — Couleuvre rayée du Texas (f) [Texas Gartersnake]
*T. s. concinnus* (Hallowell, 1852) — Couleuvre rayée à taches rouges (f) [Red-spotted Gartersnake]
*T. s. dorsalis* (Baird et Girard, 1853) — Couleuvre rayée du Nouveau-Mexique (f) [New Mexico Gartersnake]
*T. s. fitchi* Fox, 1951 — Couleuvre rayée de la vallée (f) [Valley Gartersnake]
*T. s. infernalis* (Blainville, 1835) — Couleuvre rayée de Californie (f) [California Red-sided Gartersnake]
*T. s. pallidulus* Allen, 1899 — Couleuvre rayée des Maritimes (f) [Maritime Gartersnake]
*T. s. parietalis* (Say, 1823) — Couleuvre rayée à flancs rouges (f) [Red-sided Gartersnake]
*T. s. pickeringii* (Baird et Girard, 1853) — Couleuvre rayée de Puget Sound (f) [Puget Sound Gartersnake]
*T. s. semifasciatus* Cope, 1892 — Couleuvre rayée de Chicago (f) [Chicago Gartersnake]
*T. s. similis* Rossman, 1965 — Couleuvre rayée à rayures bleues (f) [Blue-striped Gartersnake]
*T. s. sirtalis* (Linnaeus, 1758) — Couleuvre rayée de l'Est (f) [Eastern Gartersnake]
*T. s. tetrataenia* (Cope, 1875) — Couleuvre rayée de San Francisco (f) [San Francisco Gartersnake]

***Trimorphodon*** Cope, 1861 — COULEUVRES LYRES (f) [LYRESNAKES]
***T. lambda*** Cope, 1886 — Couleuvre lyre de Sonora (f) [Sonoran Lyresnake]
***T. lyrophanes*** (Cope, 1860) — Couleuvre lyre de Californie (f) [California Lyresnake]
***T. vilkinsonii*** Cope, 1886 — Couleuvre lyre du Texas (f) [Texas Lyresnake]

***Tropidoclonion*** Cope, 1860 — COULEUVRES LIGNÉES (f) [LINED SNAKES]
***T. lineatum*** (Hallowell, 1856) — Couleuvre lignée (f) [Lined Snake]

***Virginia* Baird et Girard, 1853 — COULEUVRES FOUISSEUSES D'AMÉRIQUE DU NORD (f)** [NORTH AMERICAN EARTHSNAKES]
***V. striatula*** (Linnaeus, 1766) — Couleuvre fouisseuse carénée (f) [Rough Earthsnake]
***V. valeriae*** Baird et Girard, 1853 — Couleuvre fouisseuse lisse (f) [Smooth Earthsnake]
*V. v. elegans* Kennicott, 1859 — Couleuvre fouisseuse de l'Ouest (f) [Western Smooth Earthsnake]
*V. v. valeriae* Baird et Girard, 1853 — Couleuvre fouisseuse de l'Est (f) [Eastern Smooth Earthsnake]
*V. v. pulchra* (Richmond, 1954) — Couleuvre fouisseuse des montagnes (f) [Mountain Earthsnake]

## Testudines – Tortues

***Actinemys*** **Agassiz, 1857 — TORTUES DE L'OUEST (f)** [WESTERN POND TURTLES]

- ***A. marmorata*** (Baird et Girard, 1852) — Tortue de l'Ouest (f) [Western Pond Turtle]

***Apalone*** **Rafinesque, 1832 — TORTUES MOLLES D'AMÉRIQUE DU NORD (f)** [NORTH AMERICAN SOFTSHELLS]

- ***A. ferox*** (Schneider, 1783) — Tortue molle fougueuse (f) [Florida Softshell]
- ***A. mutica*** (LeSueur, 1827) — Tortue molle lisse (f) [Smooth Softshell]
  - *A. m. mutica* (LeSueur, 1827) — Tortue molle lisse du Centre (f) [Midland Smooth Softshell]
  - *A. m. calvata* (Webb, 1959) — Tortue molle lisse du Golfe (f) [Gulf Coast Smooth Softshell]
- ***A. spinifera*** (LeSueur, 1827) — Tortue molle à épines **(f)** [Spiny Softshell]
  - *A. s. spinifera* (LeSueur, 1827) — Tortue molle à épines de l'Est (f) [Eastern Spiny Softshell]
  - *A. s. aspera* (Agassiz, 1857) — Tortue molle à épines du Golfe (f) [Gulf Coast Spiny Softshell]
  - *A. s. emoryi* (Agassiz, 1857) — Tortue molle à épines du Texas (f) [Texas Spiny Softshell]
  - *A. s. guadalupensis* (Webb, 1962) — Tortue molle de Guadelupe (f) [Guadalupe Spiny Softshell]
  - *A. s. pallida* (Webb, 1962) — Tortue molle à épines pâle (f) [Pallid Spiny Softshell]

***Caretta*** **Rafinesque, 1814 — TORTUES CAOUANNES (f)** [LOGGERHEAD SEA TURTLES]

- ***C. caretta*** (Linnaeus, 1758) — Tortue caouanne (f) [Loggerhead Sea Turtle]

***Chelonia*** **Brongniart, 1800 — TORTUES VERTES (f)** [GREEN SEA TURTLES]

- ***C. mydas*** (Linnaeus, 1758) — Tortue verte (f) [Green Sea Turtle]

***Chelydra*** **SCHWEIGGER, 1812 — TORTUES SERPENTINES (f)** [SNAPPING TURTLES]

- ***C. serpentina*** (Linnaeus, 1758) — Tortue serpentine (f) [Snapping Turtle]

***Chrysemys*** **Gray, 1844 — TORTUES PEINTES (f)** [PAINTED TURTLES]

- ***C. picta*** (Schneider, 1783) — Tortue peinte (f) [Painted Turtle]
  - *C. p. bellii* (Gray, 1831) — Tortue peinte de l'Ouest (f) [Western Painted Turtle]
  - *C. p. marginata* Agassiz, 1857 — Tortue peinte du Centre (f) [Midland Painted Turtle]
  - *C. p. picta* (Schneider, 1783) — Tortue peinte de l'Est (f) [Eastern Painted Turtle]
- ***C. dorsalis*** Agassiz, 1857 — Tortue peinte du Sud (f) [Southern Painted Turtle]

***Clemmys* Ritgen, 1828 — TORTUES PONCTUÉES (f)** [SPOTTED TURTLES]

***C. guttata*** (Schneider, 1792) — Tortue ponctuée (f) [Spotted Turtle]

***Deirochelys* Agassiz, 1857 — TORTUES RÉTICULÉES (f)** [CHICKEN TURTLES]

***D. reticularia*** (Latreille, dans Sonnini et Latreille 1801) — Tortue réticulée (f) [Chicken Turtle]

*D. r. chrysea* Schwartz, 1956 — Tortue réticulée de Floride (f) [Florida Chicken Turtle]

*D. r. miaria* Schwartz, 1956 — Tortue réticulée de l'Ouest (f) [Western Chicken Turtle]

*D. r. reticularia* (Latreille, *dans* Sonnini et Latreille 1801) — Tortue réticulée de l'Est (f) [Eastern Chicken Turtle]

***Dermochelys* Blainville, 1816 — TORTUES LUTHS (f)** [LEATHERBACK SEA TURTLES]

***D. coriacea*** (Vandelli, 1761) — Tortue luth (f) [Leatherback Sea Turtle]

***Emydoidea* Gray, 1870 — TORTUES MOUCHETÉES (f)** [BLANDING'S TURTLES]

***E. blandingii*** (Holbrook, 1838) — Tortue mouchetée **(f)** [Blanding's Turtle]

***Eretmochelys* Fitzinger, 1843 — TORTUES IMBRIQUÉES (f)** [HAWKSBILL SEA TURTLES]

***E. imbricata*** (Linnaeus, 1766) — Tortue imbriquée (f) [Hawksbill Sea Turtle]

*E. i. bissa* (Rüppell, 1835) — Tortue imbriquée du Pacifique (f) [Pacific Hawksbill Sea Turtle]

*E. i. imbricata* (Linnaeus, 1766) — Tortue imbriquée d'Atlantique (f) [Atlantic Hawksbill Sea Turtle]

***Glyptemys* Agassiz, 1857 — TORTUES SCULPTÉES (f)** [SCULPTED TURTLES]

***G. insculpta*** (LeConte, 1830) — Tortue des bois (f) [Wood Turtle]

***G. muhlenbergii*** (Schoepff, 1801) — Tortue des tourbières (f) [Bog Turtle]

***Gopherus* Rafinesque, 1832 — TORTUES GAUFRES (f)** [GOPHER TORTOISES]

***G. agassizii*** (Cooper, 1863) — Tortue du désert (f) [Desert Tortoise]

***G. berlandieri*** (Agassiz, 1857) — Tortue du désert du Texas (f) [Texas Tortoise]

***G. polyphemus*** (Daudin, 1802) — Tortue gaufre (f) [Gopher Tortoise]

***Graptemys* Agassiz, 1857 — TORTUES GÉOGRAPHIQUES (f)** [MAP TURTLES]

***G. barbouri*** Carr et Marchand, 1942 — Tortue géographique de Barbour (f) [Barbour's Map Turtle]

***G. caglei*** Haynes et McKown, 1974 — Tortue géographique de Cagle (f) [Cagle's Map Turtle]
***G. ernsti*** Lovich et McCoy, 1992 — Tortue géographique d'Escambia (f) [Escambia Map Turtle]
***G. flavimaculata*** Cagle, 1954 — Tortue géographique à taches jaunes (f) [Yellow-blotched Map Turtle]
***G. geographica*** (LeSueur, 1817) — Tortue géographique du Nord (f) [Northern Map Turtle]
***G. gibbonsi*** Lovich et McCoy, 1992 — Tortue géographique de Pascagoula (f) [Pascagoula Map Turtle]
***G. nigrinoda*** Cagle, 1954 — Tortue géographique à boutons noirs (f) [Black-knobbed Map Turtle]
*G. n. delticola* Folkerts et Mount, 1969 — Tortue géographique à boutons noirs du Sud (f) [Southern Black-knobbed Map Turtle]
*G. n. nigrinoda* Cagle, 1954 — Tortue géographique à boutons noirs (f) [Black-knobbed Map Turtle]
***G. oculifera*** (Baur, 1890) — Tortue géographique à anneaux (f) [Ringed Map Turtle]
***G. ouachitensis*** Cagle, 1953 — Tortue géographique de Ouachita (f) [Ouachita Map Turtle]
*G. o. ouachitensis* Cagle, 1953 — Tortue géographique de Ouachita (f) [Ouachita Map Turtle]
*G. o. sabinensis* Cagle, 1953 — Tortue géographique de Sabine (f) [Sabine Map Turtle]
***G. pearlensis*** Ennen, Lovich, Kreiser, Selman, and Qualls, 2010 — Tortue géographique de la rivière Pearl (f) [Pearl River Map Turtle]
***G. pseudogeographica*** (Gray, 1831) — Tortues pseudogéographiques (f) [False Map Turtle]
*G. p. kohnii* (Baur, 1890) — Tortue pseudogéographique du Mississippi (f) [Mississippi Map Turtle]
*G. p. pseudogeographica* (Gray, 1831) — Tortue pseudogéographique (f) [False Map Turtle]
***G. pulchra*** Baur, 1893 — Tortue géographique d'Alabama **(f)** [Alabama Map Turtle]
***G. versa*** Stejneger, 1925 — Tortue géographique du Texas (f) [Texas Map Turtle]

***Kinosternon* Spix, 1824 — TORTUES BOURBEUSES D'AMÉRIQUE (f)** [AMERICAN MUD TURTLES]
***K. arizonense*** Gilmore, 1922 — Tortue bourbeuse d'Arizona (f) [Arizona Mud Turtle]
***K. baurii*** (Garman, 1891) — Tortue bourbeuse rayée (f) [Striped Mud Turtle]
***K. flavescens*** (Agassiz, 1857) — Tortue bourbeuse jaune (f) [Yellow Mud Turtle]
***K. hirtipes*** (Wagler, 1830) — Tortue bourbeuse à pieds rugueux (f) [Rough-footed Mud Turtle]
*K. h. murrayi* Glass et Hartweg, 1951 — Tortue bourbeuse du plateau mexicain (f) [Mexican Plateau Mud Turtle]

***K. sonoriense*** LeConte, 1854 — Tortue bourbeuse de Sonora (f) [Sonora Mud Turtle]
- *K. s. longifemorale* Iverson, 1981 — Tortue bourbeuse de Sonoyta (f) [Sonoyta Mud Turtle]
- *K. s. sonoriense* LeConte, 1854 — Tortue bourbeuse du désert (f) [Desert Mud Turtle]

***K. subrubrum*** (Lacépède, 1788) — Tortue bourbeuse de l'Est (f) [Eastern Mud Turtle]
- *K. s. hippocrepis* Gray, 1855 — Tortue bourbeuse du Mississippi (f) [Mississippi Mud Turtle]
- *K. s. steindachneri* (Siebenrock, 1906) — Tortue bourbeuse de Floride (f) [Florida Mud Turtle]
- *K. s. subrubrum* (Lacépède, 1788) — Tortue bourbeuse de l'Est (f) [Eastern Mud Turtle]

***Lepidochelys* Fitzinger, 1843 — TORTUES BÂTARDE (f)** [RIDLEY SEA TURTLES]

***L. kempii*** (Garman, 1880) — Tortue de Kemp (f) [Kemp's Ridley Sea Turtle]

***L. olivacea*** (Eschscholtz, 1829) — Tortue olivâtre (f) [Olive Ridley Sea Turtle]

***Macrochelys* Gray, 1855 — TORTUES ALLIGATOR (f)** [ALLIGATOR SNAPPING TURTLES]

***M. temminckii*** (Troost dans Harlan, 1835) — Tortue alligator (f) [Alligator Snapping Turtle]

***Malaclemys* Gray, 1844 — TERRAPINS À DOS DIAMANTÉS (f)** [DIAMOND-BACKED TERRAPINS]

***M. terrapin*** (Schoepff, 1793) — Terrapin à dos diamanté (f) [Diamond-backed Terrapin]
- *M. t. centrata* (Latreille, *dans* Sonnini et Latreille 1801) — Terrapin de Caroline (f) [Carolina Diamond-backed Terrapin]
- *M. t. littoralis* (Hay, 1904) — Terrapin du Texas (f) [Texas Diamond-backed Terrapin]
- *M. t. macrospilota* (Hay, 1904) — Terrapin à dos ornée (f) [Ornate Diamond-backed Terrapin]
- *M. t. pileata* (Wied-Neuwied, 1865) — Terrapin du Mississippi (f) [Mississippi Diamond-backed Terrapin]
- *M. t. rhizophorarum* Fowler, 1906 — Terrapin des mangroves (f) [Mangrove Diamond-backed Terrapin]
- *M. t. tequesta* Schwartz, 1955 —Terrapin de Floride (f) [Eastern Florida Diamond-backed Terrapin]
- *M. t. terrapin* (Schoepff, 1793) — Terrapin du Nord (f) [Northern Diamond-backed Terrapin]

***Pseudemys* Gray, 1856 — KUTAS (f)** [COOTERS]

***P. alabamensis*** Baur, 1893 — Kuta d'Alabama (f) [Alabama Red-bellied Cooter]

***P. concinna*** (LeConte, 1830) — Kuta de rivière (f) [River Cooter]

*P. c. concinna* (LeConte, 1830) — Kuta de l'Est (f) [Eastern River Cooter]
*P. c. floridana* (LeConte, 1830) — Kuta des plaines côtières (f) [Coastal Plain Cooter]
***P. gorzugi*** Ward, 1984 — Kuta du Rio Grande (f) [Rio Grande Cooter]
***P. nelsoni*** Carr, 1938 — Kuta de Floride (f) [Florida Red-bellied Cooter]
***P. peninsularis*** Carr, 1938 — Kuta de la péninsule (f) [Peninsula Cooter]
***P. rubriventris*** (LeConte, 1830) — Kuta du Nord (f) [Northern Red-bellied Cooter]
***P. suwanniensis*** Carr, 1937 — Kuta de la Suwannee (f) [Suwannee Cooter]
***P. texana*** Baur, 1893 — Kuta du Texas (f) [Texas Cooter]

***Sternotherus* Gray, 1825 — TORTUES MUSQUÉES (f)** [MUSK TURTLES]
***S. carinatus*** (Gray, 1855) — Tortue musquée carénée (f) [Razor-backed Musk Turtle]
***S. depressus*** Tinkle et Webb, 1955 — Tortue musquée plate (f) [Flattened Musk Turtle]
***S. minor*** (Agassiz, 1857) — Tortues musquées à grosse tête (f) [Loggerhead Musk Turtle]
*S. m. minor* (Agassiz, 1857) — Tortue musquée à grosse tête de l'Est (f) [Loggerhead Musk Turtle]
*S. m. peltifer* Smith and Glass, 1947 — Tortue musquée à cou rayé (f) [Stripe-necked Musk Turtle]
***S. odoratus*** (Latreille, dans Sonnini et Latreille, 1801) — Tortue musquée de l'Est (f) [Eastern Musk Turtle]

***Terrapene* Merrem, 1820 — TORTUES BOÎTE (f)** [AMERICAN BOX TURTLES]
***T. bauri*** Taylor, 1894 — Tortue boîte de Floride (f) [Florida Box Turtle]
***T. carolina*** (Linnaeus, 1758) — Tortue boîte de l'Est (f) [Eastern Box Turtle]
*T. c. carolina* (Linnaeus, 1758) — Tortue boîte forestières (f) [Woodland Box Turtle]
*T. c. triunguis* (Agassiz, 1857) — Tortue boîte à trois orteils (f) [Three-toed Box Turtle]
***T. ornata*** (Agassiz, 1857) — Tortue boîte ornée (f) [Ornate Box Turtle]
*T. o. luteola* Smith and Ramsey, 1952 — Tortue boîte du désert (f) [Desert Box Turtle]
*T. o. ornata* (Agassiz, 1857) — Tortue boîte des plaines (f) [Plains Box Turtle]

***Trachemys* Agassiz, 1857 — TORTUES GLISSEUSES (f)** [SLIDERS]
***T. gaigeae*** (Hartweg, 1939) — Tortue glisseuse du Mexique (f) [Mexican Plateau Slider]
*T. g. gaigeae* (Hartweg, 1939) — Tortue de Big Bend (f) [Big Bend Slider]
***T. scripta*** (Schoepff, 1792) — Tortue glisseuse des étangs (f) [Pond Slider]
*T. s. elegans* (Wied-Neuwied, 1838) — Tortue à oreilles rouges (f) [Red-eared Slider]
*T. s. scripta* (Schoepff, 1792) — Tortue à ventre jaune (f) [Yellow-bellied Slider]
*T. s. troostii* (Holbrook, 1836) — Tortue de Cumberland (f) [Cumberland Slider]

## Espèces de Reptiles Exotiques

### *CROCODILIENS*

***Caiman*** **Spix, 1825 — CAÏMANS (m)** [CAIMANS]

***C. crocodilus*** (Linnaeus, 1758) — Caïman à lunettes (m) [Spectacled Caiman]

### *LÉZARDS*

***Agama*** **Daudin, 1802 — AGAMES (m)** [AGAMAS]

***A. agama*** (Linnaeus, 1758) — Agame arc-en-ciel (m) [African Rainbow Lizard]

*A. a. africana* Hallowell, 1844 — Agame arc-en-ciel de l'Ouest Africain (m) [West African Rainbow Lizard]

***Ameiva*** **Meyer, 1795 — AMÉIVES (m)** [AMEIVAS]

***A. ameiva*** (Linnaeus, 1758) — Améive géante (m) [Giant Ameiva]

***Anolis*** **Daudin, 1802 — ANOLES (m)** [Anoles]

***A. chlorocyanus*** Duméril et Bibron, 1837 — Anole d'Hispaniola (m) [Hispaniolan Green Anole]

***A. (Ctenonotus) cristatellus*** Duméril et Bibron, 1837 — Anole à crête (m) [Crested Anole]

*A. c. cristatellus* Duméril et Bibron, 1837 — Anole à crête de Puerto Rico (m) [Puerto Rican Crested Anole]

***A. cybotes*** Cope, 1862 — Anole à large tête (m) [Large-headed Anole]

*A. c. cybotes* Cope, 1862 — Anole à large tête commun (m) [Common Large-headed Anole]

***A. (Ctenonotus) distichus*** Cope, 1861 — Anole écorce (m) [Bark Anole]

*A. d. dominicensis* Reinhardt et Lütken, 1863 — Anole écorce vert (m) [Green Bark Anole]

*A. d. floridanus* Smith et McCauley, 1948 — Anole écorce de Floride (m) [Florida Bark Anole]

***A. equestris*** Merrem, 1820 — Anole chevalier (m) [Knight Anole]

*A. e. equestris* Merrem, 1820 — Anole chevalier de l'Ouest (m) [Western Knight Anole]

***A. (Ctenonotus) ferreus*** Cope, 1864 — Anole à queue en peigne (m) [Comb Anole]

***A. (Norops) garmani*** Stejneger, 1899 — Anole géant de Jamaïque (m) [Jamaican Giant Anole]

***A. porcatus*** Gray, 1840 — Anole vert de Cuba (m) [Cuban Green Anole]

***A. (Norops) sagrei*** Duméril et Bibron, 1837 — Anole brun (m) [Brown Anole]

*A. s. sagrei* Duméril et Bibron, 1837 — Anole brun de Cuba (m) [Cuban Brown Anole]

***A. trinitatis*** Reinhardt and Lütken 1862— Anole des buissons de St. Vincent [St. Vincent Bush Anole]

***Aspidoscelis*** **Fitzinger, 1843 — QUEUES-FOUET (m)** [WHIPTAILS]

***A. motaguae*** Sackett, 1941 — Queue-fouet géant (m) [Giant Whiptail]

***Basiliscus* Laurenti, 1768 — BASILIQUES (m)** [BASILISKS]
 ***B. vittatus*** Wiegmann, 1828 — Basilique brun (m) [Brown Basilisk]

***Calotes* Cuvier, 1817 — DRAGONS D'INDOCHINE (m** [BLOODSUCKERS]
 ***C. mystaceus*** Duméril et Bibron, 1837 — Dragon d'Indochine (m) [Indochinese Bloodsucker]
 ***C. "versicolor"*** (Daudin 1802) — Dragon variable (m) [Variable Bloodsucker]

***Chalcides* Laurenti, 1768—SCINQUES (m)** [SKINKS]
 ***C. ocellatus*** (Forskål 1775) — Squinque ocellé (m) [Ocellated Skink]

***Chamaeleo* Laurenti, 1768 — CAMÉLÉONS (m)** [CHAMELEONS]
 ***C. calyptratus*** Duméril et Bibron, 1851 — Caméléon voilé (m) [Veiled Chameleon]
 ***C. jacksonii*** Boulenger, 1896 — Caméléon de Jackson (m) [Jackson's Chameleon]

***Chondrodactylus* Peters, 1870 — GECKOS ARÉNICOLES (m)** [SAND GECKOS]
 ***C. bibronii*** (Smith, 1846) — Gecko arénicole de Bibron (m) [Bibron's Sand Gecko]

**"*Cnemidophorus*" Wagler, 1830 — LÉZARDS COUREURS D'AMÉRIQUE DU SUD (m)** [SOUTH AMERICAN WHIPTAILS]
 ***"C." lemniscatus*** (Linnaeus, 1758) — Lézard coureur arc-en-ciel (m) [Rainbow Whiptail]

***Cryptoblepharus* Wiegmann, 1834 — SCINQUES ŒIL-DE-SERPENT (m)** [SNAKE-EYED SKINKS]
 ***C. poecilopleurus*** (Wiegmann, 1834) — Scinque œil-de-serpent du Pacifique (m) [Pacific Snake-eyed Skink]

***Ctenosaura* Wiegmann, 1828 — IGUANES À QUEUE ÉPINEUSE (m)** [SPINY-TAILED IGUANAS]
 ***C. conspicuousa*** Dickerson, 1919 — Iguane à queue épineuse d'île de San Esteban (m) [Isla San Esteban Spiny-tailed Iguana]
 ***C. macrolopha*** Smith, 1972 — Iguane à queue épineuse de Sonora (m) [Sonoran Spiny-tailed Iguana]
 ***C. pectinata*** (Wiegmann, 1834) — Iguane à queue épineuse du Mexique (m) [Mexican Spiny-tailed Iguana]
 ***C. similis*** (Gray, 1831) — Iguane à queue épineuse de Gray (m) [Gray's Spiny-tailed Iguana]

***Cyrtopodion* Fitzinger, 1843 — GECKOS À DOIGTS ARQUÉS (m)** [BOW-FINGERED GECKOS]
 ***C. scabrum*** (Heyden, 1827) — Gecko à queue rugueuse (m) [Rough-tailed Gecko]

***Emoia*** **Gray, 1845 — Emoias (m)** [Emoias]
- ***E. cyanura*** (Lesson, 1830) — Scinque à queue cuivrée (m) [Copper-tailed Skink]
- ***E. impar*** (Werner, 1898) — Scinque à queue azur (m) [Azure-tailed Skink]

***Furcifer*** **Fitzinger, 1843 — CAMÉLÉONS (m)** [CHAMELEONS]
- ***F. oustaleti*** (Mocquard, 1894) — Caméléon d'Oustalet (m) [Oustalet's Chameleon]

***Gehyra*** **Gray, 1834 — DTELLAS (m)** [DTELLAS]
- ***G. mutilata*** (Wiegmann, 1834) — Gecko à quatre griffes (m) [Mutilating Gecko]

***Gekko*** **Laurenti, 1768 — GECKOS VRAIS (m)** [TYPICAL GECKOS]
- ***G. gecko*** (Linnaeus, 1758) — Tokay (m) [Tokay Gecko]

***Gonatodes*** **Fitzinger, 1843 — GECKOS À ORTEILS RECOURBÉS D'AMÉRIQUE (m)** [AMERICAN BENT-TOED GECKOS]
- ***G. albogularis*** (Duméril et Bibron, 1836) — Gecko à tête jaune (m) [Yellow-headed Gecko]

***Hemidactylus*** **Gray, 1825 — GECKOS DES MAISONS (m)** [HOUSE GECKOS]
- ***H. frenatus*** Duméril et Bibron, 1836 — Gecko des maisons commun (m) [Common House Gecko]
- ***H. garnotii*** Duméril et Bibron, 1836 — Gecko des maisons indopacifique (m) [Indo-Pacific House Gecko]
- ***H. mabouia*** (Moreau de Jonnès, 1818) — Gecko des maisons tropical (m) [Wood Slave]
- ***H. platyurus*** (Schneider, 1792) — Gecko des maisons à queue plate (m) [Asian Flat-tailed House Gecko]
- ***H. turcicus*** (Linnaeus, 1758) — Gecko des maisons verruqueux (m) [Mediterranean Gecko]

***Hemiphyllodactylus*** **Bleeker, 1860 — GECKOS DES ARBRES (m)** [TREE GECKOS]
- ***H. typus*** Bleeker, 1860 — Gecko des arbres indopacifique (m) [Indo-Pacific Tree Gecko]

***Iguana*** **Laurenti, 1768 — IGUANES (m)** [IGUANAS]
- ***I. iguana*** (Linnaeus, 1758) — Iguane vert (m) [Green Iguana]

***Lacerta*** **Linnaeus, 1758 — LÉZARDS VERTS (m)** [LACERTAS]
- ***L. bilineata*** Daudin 1802 — Lézard vert de l'Ouest (m) [Western Green Lacerta]

***Lampropholis*** **Fitzinger, 1843 — SCINQUES SOLEIL (m)** [SUNSKINKS]
- ***L. delicata*** (De Vis, 1888) — Scinque soleil délicat (m) [Plague Skink]

***Leiocephalus*** **Gray, 1827 — LÉZARDS À QUEUE RECOURBÉE (m)** [CURLY-TAILED LIZARDS]

***L. carinatus*** Gray, 1827 — Lézard à queue recourbée du Nord (m) [Northern Curly-tailed Lizard]

***L. schreibersii*** (Gravenhorst, 1837) — Lézard à queue recourbée à flancs rouges (m) [Red-sided Curly-tailed Lizard]

***Leiolepis*** **Cuvier, 1829 — LÉZARDS PAPILLON (m)** [BUTTERFLY LIZARDS]

***L. belliana*** (Gray, 1827) — Lézard papillon (m) [Butterfly Lizard]

***Lepidodactylus*** **Fitzinger, 1843 — GECKOS INDOPACIFIQUES (m)** [INDO-PACIFIC GECKOS]

***L. lugubris*** (Duméril et Bibron, 1836) — Gecko triste (m) [Mourning Gecko]

***Lipinia*** **Gray, 1845 — SCINQUES PAPILLON (m)** [LIPINIAS]

***L. noctua*** (Lesson, 1830) — Scinque papillon (m) [Moth Skink]

***Mabuya*** **Fitzinger, 1826 — MABUYA (m)** [MABUYAS]

***M. multifasciata*** (Kuhl, 1820) — Mabuya brun (m) [Brown Mabuya]

***Phelsuma*** **Gray, 1825 — GECKOS DIURNES (m)** [DAY GECKOS]

***P. grandis*** Gray, 1870 — Gecko diurne de Madagascar (m) [Madagascan Day Gecko]

***P. guimbeaui*** Mertens, 1963 — Gecko diurne à points oranges (m) [Orange-spotted Day Gecko]

***P. laticauda*** (Boettger, 1880) — Gecko diurne doré (m) [Gold Dust Day Gecko]

***P. madagascariensis*** Gray, 1831 — Gecko diurne de Madagascar (m) [Madagascar Day Gecko]

***Podarcis*** **Wagler, 1830 — LÉZARDS DES MURAILLES (m)** [WALL LIZARDS]

***P. muralis*** (Laurenti, 1768) — Lézard des murailles commun (m) [Common Wall Lizard]

***P. sicula*** (Rafinesque, 1810) — Lézard des murailles d'Italie (m) [Italian Wall Lizard]

***Sphaerodactylus*** **Wagler, 1830 — GECKOS NAINS (m)** [DWARF GECKOS]

***S. argus*** Gosse, 1850 — Gecko nain ocellé (m) [Ocellated Gecko]

***S. elegans*** MacLeay, 1834 — Gecko nain cendré (m) [Ashy Gecko]

***Tarentola*** **Gray, 1825 — GECKOS DES MURAILLES (m)** [WALL GECKOS]

***T. annularis*** (Geoffroy Saint-Hilaire, 1827) — Gecko des murailles ocellé (m) [Ringed Wall Gecko]

***T. mauritanica*** (Linnaeus, 1758) — Gecko des murailles de Mauritanie (m) [Moorish Gecko]

***Trachylepis* Fitzinger, 1843— SCINQUES (m)** [SKINKS ]
***T. quinquetaeniata*** (Lichtenstein, 1823) — Scinque pentaligne d'Afrique (m) [African Five-lined Skink]

***Tupinambis* Daudin, 1803 — TÉGUS (m)** [TEGUS]
***T. merianae*** Duméril et Bibron 1839 — Tégu géant d'Argentine (m) [Argentine Giant Tegu]

***Varanus* Merrem, 1820 — VARANS (m)** [MONITOR LIZARDS]
***V. niloticus*** (Linnaeus dans Hasselquist, 1762) — Varan du Nil (m) [Nile Monitor]

***SERPENTS***

***Acrochordus* Hornstedt, 1787 — SERPENTS TROMPE D'ÉLÉPHANT (m)** [FILE SNAKES]
***A. javanicus*** Hornstedt, 1787 — Serpent trompe d'éléphant de Java (m) [Javanese File Snake]

***Boa* Linnaeus, 1758 — BOAS (m)** [BOAS]
***B. constrictor*** Linnaeus, 1758 — Boa constricteur (m) [Boa Constrictor]

***Python* Daudin, 1803 — PYTHONS (m)** [PYTHONS]
***P. molurus*** (Linnaeus, 1758) — Python indien (m) [Indian Python]
*P. m. bivittatus* Kuhl, 1820 — Python birman (m) [Burmese Python]
***P. sebae*** (Gmelin, 1788) — Python de Seba (m) [Northern African Rock Python]

***Ramphotyphlops* Fitzinger, 1843 — SERPENTS AVEUGLES D'AUSTRALASIE (m)** [AUSTRALASIAN BLINDSNAKES]
***R. braminus*** (Daudin, 1803) — Serpent aveugle de Brahminy (m) [Brahminy Blindsnake]

***TORTUES***

***Palea* Meylan, 1987 — TORTUES MOLLES À CARONCULES (f)** [WATTLE-NECKED SOFTSHELLS]
***P. steindachneri*** (Siebenrock, 1906) — Tortue molle à caroncules (f) [Wattle-necked Softshell]

***Pelodiscus* Gray, 1844 — TORTUES MOLLES DE CHINE (f)** [CHINESE SOFTSHELLS]
***P. sinensis*** (Weigman, 1835) — Tortue molle de Chine (f) [Chinese Softshell]

**RECENT PUBLICATIONS OF THE**
**SOCIETY FOR THE STUDY OF AMPHIBIANS AND REPTILES**

Breck Bartholomew, Publications Secretary
P.O. Box 58517 Salt Lake City, Utah 84158-0517, USA
Telephone and fax: area code (801)562-2660
E-mail: ssar@herplit.com Web: http://www.ssarherps.org

Make checks payable to "SSAR" Overseas customers must make payment in USA funds using a draft drawn on American banks or by International Money Order. All persons may charge to MasterCard or VISA (please provide account number and expiration date).

Shipping and Handling Costs

Shipments inside the USA: Shipping costs are in addition to the price of publications. Add an amount for shipping of the first item ($4.00 for a book costing $15.00 or more or $3.00 if the item costs less than $15.00) plus an amount for any additional items ($3.00 each for books costing over $15.00 and $2.00 for each item costing less than $15.00).

Shipments outside the USA: Determine the cost for shipments inside USA (above) and then add 6% of the total cost of the order.

**CONTRIBUTIONS TO HERPETOLOGY**

Book-length monographs, comprising taxonomic revisions, results of symposia, and other major works. Pre-publication discount to Society members.

Vol. 16. *Slithy Toves: Illustrated Classic Herpetological Books at the University of Kansas in Pictures and Conversations*, by Sally Haines. 2000. A trea sure trove of some of the finest illustrations of amphibians and reptiles ever produced, dating from the 16th to early 20th centuries. 190 p., 84 color photographs. Stiff paper cover $60.00.

Vol. 17. *The Herpetofauna of New Caledonia,* by Aaron M. Bauer and Ross A. Sadlier. French translations by Ivan Ineich. 2000. 322 p., 47 maps, 63 figures, 189 color photographs of animals and habitats. Clothbound $60.00.

Vol. 18. *The Hylid Frogs of Middle America,* expanded edition, by William E. Duellman. 2001. Review of the 165 hylid species from Mexico through Pan ama, with paintings by David M. Dennis. Foreword by David B. Wake. 1180 p., 443 figures and maps, 94 plates (46 in color). Clothbound in 2 volumes $125.00. (Also: separate set of the 46 color plates, in protective wrapper $45.00.)

Vol. 19. *The Amphibians of Honduras,* by James R. McCranie and Larry David Wilson. 2002. Comprehensive summary of 116 species, including systemat ics, natural history, and distribution. Foreword by Jay M. Savage. About 635 p., 126 figures, 33 tables, 154 color photographs of animals and habitats. Clothbound $60.00.

RECENT PUBLICATIONS OF THE
SOCIETY FOR THE STUDY OF AMPHIBIANS AND REPTILES

Vol. 20. *Islands and the Sea: Essays on the Herptological Exploration in the West Indies*, by Robert W. Henderson and Robert Powell (eds.). 2003. A col lection of essays from 30 herpetologists on their experiences in the West Indies. 312 p,, 316 photos, 14 maps. Clothbound $48.00

Vol. 21. *Contributions to the history of Herpetology, Volume 2*. by K. Adler, J.S. Applegarth, and R. Altig. 2007. Biographies of 284 leading herpetologists, index to 3512 authors in taxonomic herpetology, and academic lineages of 3810 herpetologists. 465 pp, 270 photographs, Clothbound. $ 65.00

Vol. 22. *The Lives of Captive Reptiles*, by Hans-Günter Petzold. 2008. A synthesis of information on captive and wild reptiles (and selected amphib ians) covering physiology, behavior, and reproductive biology. 300 p., 63 photographs (57 in color), index. Clothbound $55.00.

Vol. 23. *Biology of the Reptilia, vol. 20 (Morphology H)*, by Carl Gans, Abbot S. Gaunt, and Kraig Adler (eds.). 2008. Chapters by three authors cover the skull of the Lepidosauria (lizards, snakes, and tuatara). 769 p., 214 figures, indices. Clothbound $70.00.

Vol. 24. *Biology of the Reptilia, vol. 21 (Morphology I)*, by Carl Gans, Abbot S. Gaunt, and Kraig Adler (eds.). 2008. Chapters by five authors cover the skull and appendicular locomotor apparatus of the Lepidosauria (lizards, snakes, tuatara, and amphisbaenians). 791 p., 151 figures, indices. Cloth bound $70.00.

Vol. 25. *Biology of the Reptilia, vol. 22 (Comprehensive Literature of the Reptilia)*, by Carl Gans and Kraig Adler (eds.), and Ernest A. Liner (comp.). 2010. Bibliography of 22,652 references with cross-referenced subject index. Foreword by Harry W. Greene. 1386 p. Clothbound $130.00.

Vol. 26. *The Snakes of Honduras*: Systematics, Distribution, and Conservation, by James R. McCranie. 2011. Comprehensive summary of 136 species, including systematics, natural history, distribution, and conservation. Fore word by Jay M. Savage. 724 p., 65 figures, 23 tables, 180 color photographs of animals and habitats. Clothbound $95.00.

Vol. 27. *Herpetofauna of Armenia and Nagorno-Karabakh*, by Marine S. Arakelyan, Felix D. Danielyan, Claudia Corti, Roberto Sindaco, and Alan E. Leviton. 2011. Summary of systematics, natural history,distribution, and conservation of 59 species in 17 families. 186 p., 72 figures, 4 tables, 60 color maps, 151 color photographs of animals and habitats, index. Clothbound $40.00.

Vol. 28. *A Contribution to the Herpetology of Northern Pakistan*, by Rafaqat Masroor. 2012. Handbook to the amphibians and reptiles of Margalla Hills National Park and surrounding region. Including color-illustrated keys, 109 color photographs of animals and habitats, color distribution maps for each species, bibliography, checklist of amphibians and reptiles of Pakistan, index. 217 p. Clothbound $45.00.

Vol. 29. *Contributions to the History of Herpetology, volume 3*, by Kraig Adler, John S. Applegarth, and Ronald Altig. 2012. Biographies of leading herpe tologists (with portraits and signatures), index to 5,290 authors in taxonomic herpetology, and academic lineages of 5,562 herpetologists. Worldwide coverage. color frontispiece. Clothbound $75.00.

RECENT PUBLICATIONS OF THE
SOCIETY FOR THE STUDY OF AMPHIBIANS AND REPTILES

## FACSIMILE REPRINTS IN HERPETOLOGY

Exact reprints of classic and important books and papers. Most titles have extensive new introductions by leading authorities. Prepublication discount to Society members.

BARBOUR, T. and C.T. RAMSDEN. 1919. *The Herpetology of Cuba.* Intro duction by Rodolfo Ruidal. 200p., 15 plates. Clothbound. $55.00.

BOURRET, R. 1941. Les Tortues de l'Indochine. Introduction by Indranel Das. 250 p. 48 uncolored and 6 colored plates. Clothbound. $65.00.

FERGUSON, W. 1877. *Reptile Fauna of Ceylon.* First comprehensive summary of the herpetofuana of Sri Lanka. Introduction by Kraig Adler. 48 p. $8.00

FRANCIS, E.T.B. 1934. *Anatomy of the Salamander.* Forward by James Hanken and historical introduction by F.J. Cole. 465 p., 25 highly detailed plates, color plate. couthbound $60.00.

PERACCA, M.G. 1882-1917. *The Life and Herpetological Contributions of Mario Giacinto Peracca (1861-1923).* Introduction, annotated bibliogra phy, and synopsis of taxa by F. Andreone and E. Gavetti. 550 pp., clothbound. $55.00.

SCHWEIGGER, A.F. 1783 - 1821. *The Life and Herpetological Contributions of August Friedrich Schweigger* Edited by Aaron Bauer, Introduction by Roger Bour. The first scientific review of the world's turtles, covering 78 species (24 of them new plus the new genus Chelydra). 390 p. Clothbound. $30.00.

SHAW, G. 1802. *General Zoology, vol. 3: Amphibia.* Herpetological section from the first world summary of amphibians and reptiles in English. Intro duction by Hobart M. Smith and Patrick David. 1014 p., 140 plates. Cloth bound $75.00.

SMITH, A. 1826-1838. *The Herpetological Contributions of Sir Andrew Smith.* A collection of 10 shorter papers including may descriptions of South African amphibians and repitles. Introduction by William R. Branch and Aaron M. Bauer. 83 p. Paper cover. $10.00.

## HERPETOLOGICAL CONSERVATION

A series of book-length monographs, including symposia, devoted to all aspects of the conservation of amphibian and reptiles. Prepublication discount to Society members.

Vol 2. *Ecology, Conservation, and Status of Reptiles in Canada.* by C.N.L. Seburn and C.A. Bishop (eds.). 2007. Chapter by 42 authors dealing with the ecology and conservation. Appendices on the conservation strategy and the current status of repitles in Canada. 256 pp., Clothbound w/ dust jacket. $ 40.00

Vol. 3. *Urban Herpetology,* by Joseph C. Mitchell, Robin E. Jung Brown, and Breck Bartholomew (eds.). 2008. 40 chapters and 13 case studies covering all aspects of the topic, world-wide in scope. 586 p., numerous photographs, figures, and tables; index. Clothbound $75.00.

RECENT PUBLICATIONS OF THE
SOCIETY FOR THE STUDY OF AMPHIBIANS AND REPTILES

## HERPETOLOGICAL CIRCULARS

Miscellaneous publications of general interest to the herpetological community. All numbers are paperbound, as issued. Prepublication discount to Society members.

No. 27. *Lineages and Histories of Zoo Herpetologists in the United States*, by Winston Card and James B. Murphy. 2000. 49 p., 53 photographs. $8.00.

No. 28. *State and Provincial Amphibian and Reptile Publications for the United States and Canada,* by John J. Moriarty and Aaron M. Bauer. 2000. 56 p. $9.00.

No. 29. *Scientific and Standard English Names of Amphibians and Reptiles of North America North of Mexico, with Comments Regarding Confidence in Our Understanding,* by the Committee on Standard English and Scientific Names (Brian I. Crother, chair). 2000 [2001]. 86 p. $11.00.

No. 30. *Amphibian Monitoring in Latin America: a Protocol Manual/Monitoreo de Anfibios en America Latina:Manual de Protocolos,* by Karen Lips, Jamie K. Reaser, Bruce E. Young, and Roberto Ibáñez. 2001 121 p. $13.00

No. 31. *Herpetological Collecting and Collections Management.* (Revised ed.) by John E. Simmons. 2002. 159 p. $16.00

No. 32. *Conservation Guide to the Eastern Diamondback Rattlesnake Crotalus adamanteus*. by Walter Timmerman and W. H. Martin. 2003. 64 p. $13.00

No. 33. *Chameleons: Johann von Fischer and Other Perspectives*. by James B. Murphy. 2005. 123 p. $13.00

No. 34. *Synopsis of Helminths Endoparasitic in Snakes of the United States and Canada.* by Carl h. and Evelyn M. Ernst. 2006. 86 p. $9.00.

No. 35. *A Review of Marking and Individual Recognition Techniques for Amphibians and Reptiles.* by John W. Ferner. 2007. 72 pp. $11.00

No. 36. *Society for the Study of Amphibians and Reptiles: A Fifty Year History 1958 to 2007*. by John J. Moriarty and Breck Bartholomew. 2007. 60 p. $10.00

No. 37. *Scientific and Standard English Names of Amphibians and Reptiles of North America North of Mexico, with Comments Regarding Confidence in Our Understanding, Sixth edition.* Brian I. Crother (ed). 2008 84 p. $12.00

No. 38. *Nombres Estandar en Espanol en Ingles y Nombres Cientificos de los Anfibios y Reptiles de Mexico / Standard Spanish, English, and Scientific Names of the Amphibians and Reptiles of Mexico, second edition.* E. A. Liner and G. Casas-Andreu. 2008. 162 p. $16.00

No. 39. *Scientific and Standard English Names of Amphibians and Reptiles of North America North of Mexico, with Comments Regarding Confidence in Our Understanding, Seventh edition*. Brian I. Crother (ed). 2012 92 p. $14.00

No. 40. *Noms Français Standardisés des Amphibiens et des Reptiles D'Amérique du Nord au Nord du Mexique / Standard French Names of Amphibians and Reptiles of North America North of Mexico*. David Green (ed). 2012. 63 p. $10.00

RECENT PUBLICATIONS OF THE
SOCIETY FOR THE STUDY OF AMPHIBIANS AND REPTILES

**JOURNAL OF HERPETOLOGY**

The Society's official scientific journal, international in scope. Issued quarterly as part of Society membership. All numbers are paperbound as issued, measuring 7 x 10 inches.
Volumes 34-39 (2000-2005), four numbers in each volume, $9.00 per single number.

**HERPETOLOGICAL REVIEW AND H.I.S.S. PUBLICATIONS**

The Society's official news-journal, international in coverage. In addition to news notes and feature articles, regular departments include regional societies, techniques, husbandry, life history, geographic distribution, and book reviews. Issued quarterly as part of Society membership or separately by subscription. All numbers are paperbound as issued and measure 8.5 x 11 inches.
Volumes 31-36 (2000-2005), four numbers in each volume, $6.00.

**CATALOGUE OF AMERICAN AMPHIBIANS AND REPTILES**

Loose-leaf accounts of taxa (measuring 8.5 x 11 inches) prepared by specialists, including synonymy, definition, description, distribution map, and comprehensive list of literature for each taxon. Covers amphibians and reptiles of the entire Western Hemisphere. Issued by subscription. Individual accounts are not sold separately.

**CATALOGUE ACCOUNTS:**

Complete set: Numbers 1-800, $450.00.
Partial sets: Numbers 1-190, $65.00.
Numbers 191-410, $75.00.
Numbers 411-800, $320.00.

A complete list of available SSAR Publications can be found at:

**http://www.ssarherps.org/pages/publications.php**